Nuit De Noces Torride

ISAIAH MAYS

Published by ISAIAH MAYS, 2024.

This is a work of fiction. Similarities to real people, places, or events are entirely coincidental.

NUIT DE NOCES TORRIDE

First edition. March 17, 2024.

ISBN: 979-8224705757

Written by ISAIAH MAYS.

Nuit De Noces Torride

ISAIAH MAYS

"Anniversaire de Mariage et Trahison : Gabriella Face à l'Âge Adulte de Son Fils et aux Avances de Son Meilleur Ami"

Gabriella, une femme de 40 ans, organise une fête pour célébrer ses 20 années de mariage heureux avec son mari, qu'elle aime toujours passionnément. Toutefois, sa joie est teintée d'inquiétude lorsqu'elle réalise que leur fils ainé, loin de se consacrer à ses devoirs scolaires, entretient une relation sexuelle avec une amie de son âge. Cette découverte trouble profondément Gabriella, qui avait imaginé un tout autre parcours pour son adolescent.

De plus, la quadragénaire prend conscience qu'un autre facteur perturbe son existence actuellement. Effectivement, Jules, le fils de sa meilleure amie, manifeste un intérêt certain à son égard. Bien que Jules soit du même âge que son fils, Gabriella ne peut ignorer les regards insistants et les avances de ce dernier.

Face à ces situations, Gabriella doit composer avec ses sentiments maternels protecteurs et ses émotions contrastées. Elle est amenée à repenser les relations familiales et intergénérationnelles, ainsi qu'à examiner de près son rôle de mère et de femme.

Chapitre 1

Quarante ans, Gabriella réalise qu'elle vient de passer un nouveau cap. Ce n'est pas un jour de plus qui fait la différence, avant-hier elle avait 39 ans, hier, ils ont fêté non seulement son anniversaire mais aussi celui de son mariage avec son amour de jeunesse, Vincent : un double anniversaire qu'ils n'oublient jamais se contentant d'un repas en amoureux au restaurant mais cette année 20 ans de mariage, 20 ans de bonheur avec l'homme qu'elle aime, ils ont décidé de le fêter en réunissant leur famille, leurs amis, bref les gens qu'ils aiment bien.

Leur fils a bien grandi, il était un peu de la fête il y a 20 ans, Gabriella était alors enceinte d'un petit mois ; elle ne le savait pas encore et l'arrivée de Benoit après seulement 8 mois de mariage n'avait pas trop étonné dans la famille sauf quelques vieilles biques à l'affût du moindre ragot !

– Vous ne trouvez pas qu'il arrive un peu tôt, ce bambin ? Il est bien joufflu pour un prématuré !

Les mœurs avaient bien évolué ; on avait changé de siècle et plus personne ne s'étonnait que les jeunes gens vivent ensemble sans être mariés.

20 ans de mariage, Le DJ avait attendu que les anciens jeunes mariés soient prêts à ouvrir le bal après avoir mangé l'entrée. Gabriella et Vincent avaient dansé cette valse sous les applaudissements puis ils avaient été entourés par les autres couples. La fête commençait bien, après la valse, c'est un slow qui les avait trouvés enlacés dans une demi-pénombre. Elle était heureuse entre les bras de celui qu'elle aimait : bien sûr ce n'était plus la passion des premiers temps, mais il y avait une tendresse quotidienne qui ne se démentait pas au fil des ans.

– Tu es prête à reprendre pour vingt ans, lui avait-il murmuré ?

– Comme si tu ne savais pas ? Oui, je suis prête mais as-tu pensé que dans vingt ans, nous aurons soixante ans et que nous serons près de la retraite. Comme le temps passe ! Tu te rends compte que Benoit va bientôt avoir ses vingt ans ! Quand j'y pense, je me sens vieille tout à coup !

– Ne dis pas de bêtises ! Tu es si belle ; j'ai la chance d'avoir épousé la plus belle femme du monde et pour rien au monde, je voudrais changer quoi que ce soit !

– Tu as intérêt ! Tu n'as pas intérêt à regarder ailleurs !

– Tu n'as rien à craindre et je te le prouverai ce soir ! Nous allons avoir une deuxième nuit de noces !

– Ne promets pas si tu ne tiens pas tes promesses !

Ils éclatent de rire tous les deux. N'empêche que Gabriella pense en elle-même que ces derniers temps, Vincent ne se montre plus aussi empressé qu'au début de leur mariage. Elle est parfois obligée d'aller se lover cotre lui pour lui faire connaître son désir et il lui est même arrivé d'essuyer un refus sous prétexte qu'il était fatigué. Ses paroles ont éveillé ses sens et elle se serre contre lui pour lui exprimer son amour.

Quand ils reprennent place à table, Julie, sa copine de toujours, lui dit :

– Toujours aussi amoureux, à ce que je vois ! Un beau petit couple qui dansait amoureusement !

– Pourquoi, toi, ce n'est pas le cas ?

– Oh tu sais, Damien travaille trop ! Et le soir il est souvent fatigué !

– Ne crois pas que ce soit toujours fête pour moi, non plus ! Mais enfin, que veux-tu, on vieillit ! Ce sont nos enfants qui vont finir par prendre le relai ! Tu sais que j'ai surpris de drôles de gémissements, l'autre jour en passant devant la chambre de Benoit. Il s'était enfermé avec une amie de classe pour préparer un exposé ; et vu ce que j'ai entendu comme soupirs, je pense qu'ils étaient loin du travail de la classe ! Tu ne peux deviner l'effet que ça m'a fait !

– Ça t'a donné envie ?

– Mais non, idiote ! Découvrir que mon bébé était en train peut-être de faire l'amour à une fille de son âge, ça m'a fait un choc !

– Tu rigoles, ou quoi ? Tu ne souviens plus de ce que vous faisiez Vincent et toi à son âge ? Tu sais, moi, mon bébé, il y a bien longtemps qu'il a perdu son pucelage et je sais même avec qui ! Tu connais Jeannine, l'ex d'Hervé ! C'est elle qui a déniaisé Jules. Je pense qu'il ne pouvait avoir de meilleure initiatrice à ce que j'ai entendu dire. Celle-là, elle était chaude comme une braise !

– Et tu n'as rien dit ?

– Pourquoi aurais-je dû dire quelque chose ?

– Mais elle a l'âge d'être sa mère !

– Oui, le même âge que nous ! Mais elle n'est pas sa mère. Et puis mon garçon, tu avoueras, il n'est pas mal de sa personne et il a dû lui donner satisfaction, car leur petite aventure a duré quelques mois durant les vacances !

La conversation s'est arrêtée là : le repas avait continué, entrecoupé de danses et de jeux. L'animateur faisait bien son boulot, la soirée était animée. Il y eut la farandole avec bien sûr, les invitations des participants à échanger des baisers au milieu du cercle, Gabriella eut bien sûr du succès, c'était sa fête, certains se montraient plus entreprenants, les mains sur ses hanches ou sur ses flancs à toucher ses seins, des baisers au coin des lèvres, ces petits flirts sans importance qui s'arrêtent dès que l'on reprend sa place dans la farandole. Pourtant, elle ne put s'empêcher de frémir quand ce fut Jules qui vint l'inviter.

– A mon tour d'embrasser la plus belle femme de la soirée, lui dit-il en étalant la serviette sur laquelle ils s'agenouillèrent, vu l'exiguïté du linge et certainement la volonté du jeune homme, leurs genoux et leurs cuisses se touchèrent, mais surtout il positionna ses mains de chaque côté de ses flancs et ses paumes se posèrent sur le côté de ses seins, de telle manière qu'elles touchaient presque ses mamelons, il faut dire que sa poitrine n'avait jamais été très développée et qu'elle avait gardé des petits seins très mignons qu'aimait tant son mari. Mais là ce n'était pas son mari qui les touchait ni un de ses amis, mais le jeune Jules qui aurait pu être son fils mais qui, comme avait dit Julie, ne l'était pas. Elle fur surprise se sentir monter en elle une bouffée qu'elle n'avait plus ressentie depuis longtemps, surtout que la bouche de Jules déposait sur ses joues des baisers plus appuyés qu'il n'aurait dû. Elle ne comprenait pas ce qui lui arrivait, elle devait se reprendre, ne pas laisser s'installer ces papillons qui lui parcouraient les entrailles. Quand elle se releva, elle veilla à ce que Jules ne la touche plus et s'en sortit avec un « Merci, jeune homme ! A mon tour d'aller inviter quelqu'un ! »

– J'espère que tu me permettras de t'inviter à danser tout à l'heure.

– Bien sûr, je te promets le prochain rock si tu sais le danser.

– Alors à tout à l'heure pour un rock dont tu te souviendras, Tata Gabriella !

Il y avait dans le ton comme une certaine ironie. Elle qui croyait que ce n'était pas une danse qu'il saurait faire sentit une sorte de mise au défi. Enfin, on verrait ! La farandole était terminée et chacun avait retrouvé sa place pour manger le fromage qui avait été servi.

– Alors tu t'amuses bien, lui avait demandé Vincent ? Moi, je m'éclate !

– Ah oui, combien de femmes es-tu allée inviter et en as-tu profité comme certains de nos copains pour avoir des mains baladeuses ?

Disant cela, elle pensait plus à Jules qui s'était montré bien plus entreprenant qu'elle l'aurait imaginé.

– Voyons, ma chérie, tu sais bien qu'il n'y a pas homme plus fidèle que moi ! Nous sommes un couple modèle !

Voilà des mots qui résonnèrent en elle. Jusqu'alors elle le croyait qu'ils étaient un couple modèle : elle n'avait jamais été tentée de tromper son mari et voilà que ce petit jeunot venait de la troubler, rien qu'en touchant ses seins et en l'embrassant sur les joues. Elle rougit et lui sourit :

– C'est nos vingt ans d'amour que nous fêtons, mon chéri !

Il passa son bras par-dessus son épaule et il l'embrassa sur les lèvres. Ils échangèrent un tendre baiser bref mais plein d'amour. Ils se sentaient observés et n'avaient pas envie de s'afficher devant tout le monde. Les conversations entre amis reprirent tout en mangeant le fromage arrosé d'un bon vin de Bourgogne qui accompagne si bien ce mets mais qui monte aussi à la tête de ceux qui n'ont pas l'habitude d'en boire. Quand le DJ commença à augmenter le volume sur un pasodoble, Vincent s'empressa d'inviter son épouse ; il adorait les figures qu'il pouvait faire avec elle : c'était l'une de leurs danses favorites qu'ils accompagnaient de « Ollé ! » quand la musique s'y prêtait. Lorsque le morceau s'arrêta pour enchaîner sur un rock, Vincent lui prit la main pour la raccompagner à leur place mais Jules était sur leur chemin :

– Tu permets, Tonton Vincent, que j'invite Tata Roselin à faire ce rock. Elle me l'a promis tout à l'heure.

– Bien sûr, Jules. Je n'aime pas danser le rock et Gabriella adore ça.

– Alors allons-y, Tata. Tu vas voir ce que tu vas voir !

Et effectivement elle a vu ! Il la dirigeait comme un chef, d'abord en la faisant virevolter sur elle-même, puis les figures se compliquèrent ainsi que la rapidité avec laquelle il la faisait évoluer. Jamais elle n'avait dansé avec un tel cavalier qui savait la guider dans ses pas, la rapprochait de son corps pour ensuite l'éloigner et en la faisant tourner sur elle-même. Sa jupe se soulevait parfois dévoilant ses cuisses. Gabriella était essoufflée mais elle tenait le coup, elle s'étonnait elle-même de son endurance. Vu l'espace qu'ils occupaient, les invités leur avaient laissé la place et s'étaient arrêtés pour les regarder ; ils tapaient des mains pour rythmer la danse qui s'accélérait. Oui, il ne lui avait pas menti, elle s'en souviendrait de ce rock endiablé qu'il lui faisait danser ; elle aurait voulu crier grâce mais la musique ne s'arrêtait pas et elle ne pouvait pas abandonner alors que tout le monde les regardait. Enfin, tout s'arrêta et elle se retrouva dans les bras de Jules, le cœur battant la chamade comme s'il allait exploser et n'arrivant pas à reprendre sa respiration. Personne ne trouva bizarre qu'ils restent ainsi l'un contre l'autre, Jules la maintenant fermement contre lui ni qu'ils commencent à danser au rythme du slow qui suivait. Personne ne s'occupait plus d'eux ; elle était hors du temps, crevée par ce rock et surtout perdue dans ses pensées

: comme elle était bien alors qu'il la maintenait tout contre lui d'une main tandis que l'autre caressait doucement son dos. Elle n'avait réalisé la situation que lorsque sa main se retrouva à nouveau contre son flanc et que ses doigts atteignirent son sein et touchèrent son mamelon. Elle découvrit alors qu'il l'avait entraîné doucement vers le fond de la salle, là où on ne pouvait voir ce qu'il lui faisait. Comme elle était douce, sa caresse et son téton se dressa, téton qu'il fit rouler entre ses doigts :

– J'adore tes seins, lui murmura-t-il.

– Arrête, Jules, tu ne peux pas faire ça ! Que va dire mon mari ?

– Personne ne peut nous voir ! Laisse-moi te caresser, Tata ! Je suis sûr que tu aimes ! Ton petit téton est tout dur ! J'ai envie de toi !

Elle réalisa d'un seul coup qu'elle était en train de tromper son mari, qu'elle aimait ces doigts qui lui procuraient des sensations qu'elle avait oubliées et, dans le même temps, elle sentait contre son ventre cette tige qui se développait lentement, freinée certainement par les vêtements du jeune homme : comment pouvait-elle faire un tel effet à celui qu'elle considérait comme un enfant, il y a peu. Ils avaient continué à danser, à l'abri des regards, Jules veillant à s'arrêter lorsque sa main aurait pu être vue par d'autres et reprenant rapidement sa place dès qu'il le pouvait. Elle le laissa faire retenant les soupirs qu'elle aurait aimé pousser quand les doigts se faisaient plus pressants tout en éprouvant un sentiment de culpabilité vis-à-vis de l'homme qu'elle aimait jusqu'à ce que le slow s'arrête. Elle s'est vite dégagée de son emprise et elle est retournée s'asseoir à côté de son mari. Elle a vu Jules quitter la salle rapidement certainement pour aller cacher ce qui déformait son pantalon.

– Tu as bien dansé, lui dit son mari. J'aurais bien aimé faire ce slow avec toi, c'est Julie qui t'a remplacée !

– En tout bien tout honneur ! ajouta Julie. Et toi, je ne t'ai pas vue, tu es allée prendre l'air après ce rock ; Tu devais être crevée, ma vieille !

– Non, je me suis reposée en dansant le slow avec ton fils. Et tout bien tout honneur, moi aussi. C'est un très bon danseur !

Doucement, pour ne pas être entendue de Vincent :

– Et lui, en tout bien tout honneur ?

Elle rougit à cette remarque. Mais elle ne se laissa pas démonter, elle prit un air surpris à la limite scandalisé par la remarque comme si sa copine avait dit quelque chose d'incongru ! Elle réalisa qu'il n'était pas si difficile de mentir.

Chapitre 2

Le lendemain, ils ont tout remis en place et elle n'a pas eu le temps de réfléchir, même si ses gestes étaient mécaniques et ses pensées s'égaraient sur ce slow et surtout la nuit qu'elle avait passée à faire l'amour avec son mari. Celui-ci s'était vraiment montré à la hauteur, il l'avait entraînée plusieurs fois dans les hautes sphères de la jouissance. Cependant à un certain moment, quand il lui avait dit en embrassant ses seins, « J'adore tes seins. », ces mots avaient fait écho à ceux-là même qu'avait prononcé Jules et elle n'avait pas été loin d'imaginer que c'était le jeune qui les prononçait à nouveau et qui prenait ses tétons entre ses lèvres. Elle s'était vite reprise pour se donner à son mari comme lors de leur nuit de noces.

Elle aime son mari. Aujourd'hui elle est seule ; ses deux hommes, comme elle aime les appeler, sont partis pour la journée. Ils aiment aller à la pêche et ils n'ont pas insisté pour qu'elle les accompagne, sachant qu'elle n'aime pas ça. Elle a pris place sur le canapé habillée légèrement, une petite robe d'été à fine bretelles, une culotte par en-dessous et voilà, le tour est joué. Dehors il fait chaud, elle est bien dans sa maison, la clim atténue la température, les grandes vitres qui donnent sur le jardin lui donnent l'impression d'être à l'extérieur sans en avoir les inconvénients.

El est peut-être 11 heures quand son téléphone sonne, sonnerie spéciale qui dit que c'est un correspondant inscrit dans son répertoire. Elle regarde le cadran et c'est Jules qui s'affiche avec la photo qu'il lui faudra changer : elle date bien de 3 ans, quand elle a acheté ce téléphone dernier modèle à l'époque. Non ce n'est plus du tout lui ! Son cœur bat un peu plus vite, va-t-elle décrocher, elle laisse sonner puis se décide :

– Allo, c'est Jules. Je n'arrive pas joindre Damien et je me permets de t'appeler.

– Tu pourrais me dire bonjour !

– Oh excuse-moi ! Bonjour, Tata Gabriella, comment vas-tu ?

– Je vais bien, merci de prendre soin de ma santé aussi spontanément, répond-elle en riant. Tu es excusé ! Damien, tu n'arriveras pas à le joindre aujourd'hui. Il est parti à la pêche avec son père, alors tu sais bien, pas question de sonnerie de téléphone donc ils ont dû les éteindre.

– Ils t'ont laissée seule ?

– Disons plutôt que j'ai préféré rester ici seule plutôt que d'aller m'ennuyer à la pêche !

– Et tu ne vas pas t'ennuyer seule ? Tu ne veux pas que je vienne te tenir compagnie.

– Tu sais, j'aime être seule mais, si tu me proposes, pourquoi ne viendrais-tu pas me tenir compagnie si a conversation d'une quarantenaire ne t'ennuie pas.

– Tu es d'accord ? J'arrive, je suis chez toi dans un quart d'heure !

– Ta mère va te déposer ?

– Non, Maman travaille ! J'arrive en vélo ! A tout de suite.

Gabriella appuie sa tête contre de dossier. Elle réfléchit, que lui prend-il d'avoir laissé venir Jules alors qu'elle est seule ? Le jeune homme la trouble mais il faudra qu'elle veille à ne pas se laisser prendre au jeu de la séduction ; elle veut rester fidèle à son mari mais ne l'a-t-elle pas déjà trompé en acceptant ses caresses, Elle était alors un peu enivrée du rock qu'ils venaient de danser et aussi du Bourgogne qu'elle avait bu avec le fromage. Donc il n'y a aucune raison que ça se passe autrement que lorsqu'ils se sont déjà retrouvés seuls.

Le timbre retentit. Elle se lève et va lui ouvrir, refermant à clé dès qu'il est rentré. Ils se font la bise naturellement et se rendent dans le salon.

– J'aime bien être chez vous. On a l'impression de vivre dans le jardin.

– Sans avoir à subir la chaleur. Il fait déjà bien chaud. Tu veux peut-être un rafraîchissement après ton parcours à vélo.

– Oui, je veux bien. Si tu le permets je vais aller retirer mon t-shirt, celui-ci est trempé et doit sentir le fauve !

Elle l'accompagne à la salle de bain pour lui donner une serviette et un gant de toilette et retourne lui préparer un jus d'orange bien frais. Quand il revient, il a les cheveux mouillés et il s'est changé, une chemisette bleue dont il a laissé le haut entrouvert sur sa peau bronzée et un short blanc bien ajusté. C'est au moins ce qu'elle pense en voyant le devant un peu gonflé. A-t-il surpris son regard, il lui sourit et dit :

– Tu me trouve beau, Tata ?

– Tu as bien choisi tes vêtements, oui, tu es beau ! Un aussi beau jeune homme que mon fils !

– Sauf que je ne suis pas ton fils !

Ils s'asseyent l'un à côté de l'autre pour boire leur jus d'orange. Le silence s'est installé entre eux et c'est Jules qui le rompt :

– J'avais peur que tu m'en veuilles !

– Pourquoi t'en voudrais-je ?

– J'avais un peu bu dimanche et je ne me suis pas conduit correctement. Tu ne trouves pas ?

Gabriella cherche ses mots :

– Je crois que moi aussi j'avais un peu trop bu et je t'ai laissé faire. Mais tu as veillé à ma réputation et tu t'es arrangé pour ne pas être vu. Alors non, je ne t'en veux pas, même si je regrette de m'être laissé aller.

– Pourtant tu as aimé.

Elle rit :

– Oui, tu me l'as dit, je crois ?

– Oui, je te l'ai dit. Et tu sais bien que c'était vrai, j'avais la preuve au bout de mes doigts J'aurais voulu qu'un autre slow s'enchaîne. J'aurais peut-être réussi à t'embrasser. Tu sais, j'aurais voulu que l'on soit rien que tous les deux et que je puisse t'embrasser comme un fou.

– Mais on n'était pas que tous les deux ! Aujourd'hui, si !

– Oui, je sais mais nous n'avons pas l'excuse du Bourgogne.

– Tu as besoin de cette excuse ? Tu veux que j'ouvre une bouteille !

Elle n'en revient pas d'avoir dit cela. Elle est mariée, elle vient de fêter leurs vingt ans de mariage. Elle aime son mari et elle vient d'offrir à Jules une opportunité qu'il s'empresse de saisir.

Il a tôt fait de combler l'espace qui les sépare et il se penche vers elle. Il passe ses doigts dans ses cheveux, puis dans son cou. Un frisson parcourt le corps de Gabriella, Jules la regarde dans les yeux et se rapproche lentement de ses lèvres. Elle aurait encore pu se reprendre et s'éloigner, mais quand leurs lèvres se rencontrent, elle gémit puis ouvre la bouche et s'abandonne au baiser qu'il lui donne. Sa bouche la quitte pour se réfugier dans son cou. Gabriella passe ses mains sous la chemisette pour caresser le dos du jeune homme alors que celui-ci mordille son épaule. Il baisse les fines bretelles de sa robe jusqu'à ce que ses seins soient dénudés.

– Comme tu es belle. J'en ai rêvé cette nuit, de ton petit sein que j'ai caressé et de ton téton si dur ;

Il n'avait pas besoin de lui dire cela, elle le voit dans son regard qu'il aime ce qu'elle lui découvre, elle a une pensée fugace pour son mari qui lui aussi les a admirés durant leur nuit d'ivresse, pensée vite évacuée pour profiter des lèvres de son amant qui a pris un de ses seins entre ses lèvres. Sa langue tourne doucement autour de ses aréoles jusqu'à ce que les mamelons soient dressés. Tête appuyée contre le dossier, les yeux fermés, elle le laisse dévorer les seins pendant plusieurs minutes, jusqu'à ce qu'elle sente que sa robe est en train de descendre, passe avec une petite aide de sa part ses belles hanches pour se retrouve enroulée au niveau de ses genoux.

– Tu es si sexy, gémit Jules en s'agenouillant devant le canapé et en embrassant son ventre.

Gabriella suit le parcours de la bouche qui va plus bas, elle sent les doigts de Jules s'enrouler sur les côtés de sa culotte. Elle ouvre les yeux et les baisse vers ce jeune homme si beau qui est à ses pieds et qui semble attendre sa permission. Elle hoche la tête en signe d'assentiment et Jules abaisse doucement la culotte. Lorsque robe et culotte sont à ses pieds, elle soulève ses jambes pour qu'il les lui retire et lui offre à Jules la vue de sa chatte rasée pour leur anniversaire de mariage. Il sourit en lui soulevant une jambe pour embrasser l'intérieur de ses cuisses avant de plonger doucement sa langue entre les lèvres humides.

– Oh oui, crie-t-elle.

C'est comme si une décharge électrique avait traversé son corps. Il y a si longtemps que Vincent ne lui avait pas procuré un tel plaisir, la seule langue qu'elle n'avait jamais connue ; est-ce la nouveauté qui lui fait éprouver de telles sensations. Elle saisit la tête du jeune homme pour la tirer contre sa chatte. Sa langue sur son clitoris la rend folle, il découvre qu'aucune langue n'est identique : celle de Jules est garnie de petites aspérités qui l'amènent à un plaisir jamais éprouvé avec celle de son mari qui est toute lisse. Elle l'adore sur son clitoris mais aussi entre ses parois quand elle y pénètre pour son plus grand bonheur. Il s'enfonce le plus loin possible dans sa chatte, jusqu'à ce que son majeur vienne prendre le relai pour s'enfoncer plus loin.

– Vas-y, Jules ! Je vais jouir !

Jules redouble d'ardeur sur le clitoris ; il veut bien sûr l'amener à ce point de non-retour qu'elle attend ; il enfonce deux doigts dans le conduit dégoulinant de ses jus intimes :

– Oh, mon Dieu ! gémit Gabriella alors que Jules écarte ses chairs davantage. Elle peut voir la tête blonde entre ses cuisses de femme mariée, tête blonde d'un jeune homme qui s'occupe de sa chatte dans son salon ; il y a si longtemps que Vincent ne lui a plus fait l'amour en ce lieu et elle sait que le plaid va être taché de ses liqueurs.

– Oh oui, baise-moi bien ! s'écrie-t-elle. Je jouis !

Sa respiration s'est arrêtée sous l'effet de l'orgasme, elle inonde le visage de son amant qui s'évertue à garder sa langue sur la chatte palpitante. Gabriella ouvre les yeux pour voir Jules se relever et venir la rejoindre sur le canapé.

– C'était merveilleux, Tata !

– Tu es con ou quoi ! Ne m'appelle pas Tata après ça ! Gabriella serait mieux !

– D'accord, Gabriella ! N'empêche que c'était merveilleux !

– Tu veux que je m'occupe de toi maintenant ?

– J'espère bien !

– Alors déshabille-toi ! J'ai envie que tu sois nu, toi aussi.

Il a vite fait de retirer ses seuls vêtements, sa chemisette et son short. Il est nu en-dessous et elle découvre le sexe qu'elle a senti contre son ventre en dansant : c'est sûr, c'est un homme bien doté pas autant que Vincent, une tige plus vite mais une belle longueur. Il est debout, elle est assise. Il s'approche, elle tend la main pour toucher la hampe dressée, elle la caresse surtout sa longueur, faisant glisser la peau pour dégager le gland, sa bouche se pose sur lui et dépose de petits baisers ;

– Comme tu es doux et dur à la fois. Sa langue lèche le gland et s'immisce dans la petite fente d'où s'écoule une douce liqueur ;

– Tu as bon goût. Tu aimes ce que je te fais. Tu veux plus ?

– Prends-moi dans ta bouche ! J'ai envie de baiser ta bouche !

– Un peu de patience, moi, j'ai envie de lécher ta jeune queue et de jouer un peu avec tes bourses bien pleines.

– Je ne te savais pas aussi salope, Gabriella.

– Je pense que toutes les femmes normales sont un peu salopes, surtout si elles sont mariées. J'ai appris beaucoup avec Vincent et il aime quand je suis salope. C'est la première fois que je trompe mon mari mais je ne vais rien faire que ce que je ne sais ! La seule différence, c'est que c'est une première pour moi de faire cela avec un autre partenaire que lui !

– Et tu aimes ?

– Bien sûr, sinon, nous serions encore en train de discuter ! Mais arrête de parler, j'ai envie d'être salope comme tu dis.

Elle lèche la hampe qui est devant ses yeux, elle saisit les testicules entre ses doigts et les fait rouler, déclenchant des gémissements de la part du jeune homme. Sa langue suit les veines bleues, allant et venant sur la tige dressée. Sa main branle doucement la tige juvénile. Elle fait durer ce plaisir, sachant combien son homme apprécie mais aussi redécouvrant cette douceur qu'elle avait expérimenté quand Vincent lui avait fait découvrir ce plaisir, ils étaient jeunes alors ! Elle ne résiste pas, elle le prend dans sa bouche, ses lèvres s'arrondissent autour du gland, la langue titille l'urètre pour goûter à nouveau le pré-sperme, puis elle enfonce doucement le sexe du jeune homme dans sa bouche. Leurs yeux ne se quittent pas, il y a une telle intensité dans leur regard tandis qu'elle va et vient, enfonçant toujours un peu plus la jeune queue. C'est bien plus facile qu'avec la grosse queue de Vincent et elle réussit même à l'entraîner au fond de sa gorge sans avoir de haut-le-cœur. Elle l'abandonne un peu, dépose un baiser sur le gland ! Puis elle recommence ses petits baisers, sa langue qui taquine le gland, pour ensuite reprendre en bouche cette douceur comme une friandise. Elle se doute qu'il ne va pas résister longtemps et que bientôt il va venir. Elle ne veut pas qu'il jouisse dans sa bouche : chasse gardée pour son mari comme geste d'amour. Aussi quand elle le sent prêt à éjaculer, elle s'éloigne de lui et de sa main elle le mène au plaisir. Les jets s'écrasent sur sa poitrine qu'elle lui offre, traces blanchâtres qui maculent ses seins bronzés. Elle l'attire sur elle pour que leurs peaux se rencontrent et que son sperme s'étale sur la poitrine du jeune homme. Il a trouvé ses lèvres et il l'embrasse avec passion.

– Merci, Gabriella ! Tu es merveilleuse ! lui dit-il quand ils se séparent.

– Tout le plaisir a été pour moi aussi, lui répond-elle en souriant. Mais je crois qu'il est nécessaire que j'aille prendre une douche. Repose-toi un peu.

– Tu ne veux pas que je vienne avec toi ?

– Non, une douche vite fait puis je nous prépare un petit en-cas. Il nous faut prendre des forces pour cette après-midi ! On ira dans la chambre d'amis. Tu as des préservatifs ?

A question ne laisse aucun doute sur les désirs de Gabriella et c'est tout penaud que Jules répond :

– Non, pourquoi veux-tu que j'aie des préservatifs ?

– Parce que j'avais envie que tu me baises ! De profiter de ton ardeur de jeune coq !

– Et toi, tu n'es as pas ?

– Pourquoi veux-tu que j'en aie ? Je prends la pilule et je n'ai pas besoin de préservatif avec Vincent !

– Si tu prends la pilule, il n'y a pas de danger !

– C'est bien une réflexion d'homme ! Et le Sida, tu y penses ?

– Mais je suis clean ! Il n'y a pas de danger !

– Et tu me dis ça ! A combien de nanas as-tu déjà dit ça et qui t'ont écouté ! Non je ne prendrai aucun risque ! Mais ne fais pas la tête ! Il y a bien des façons de nous faire plaisir autre que de copuler. On va pouvoir continuer ce que nous avons commencé : la bouche, la langue, les doigts, et tu verras tout ce que l'on peut faire ! C'est seulement une question d'imagination.

Chapitre 3

L'après-midi a été à la hauteur de leurs espérances. A l'approche du retour des pécheurs, Gabriella a sonné la fin des plaisirs. Elle est exténuée par les orgasmes que Jules a su lui procurer. Lui-même est un peu flageolant quand il se rhabille : elle l'a fait jouir plusieurs fois durant ces quelques heures et il a découvert la variété des jeux de l'amour. Il reste quand même frustré de ne pas avoir pu profiter d'une bonne baise en profitant du con de Gabriella. Comme il aurait voulu entrer en elle et se lâcher entre ses parois qu'il ne sait accueillante qu'autour de ses doigts.

Sur le point de partir :

– La prochaine fois, je prendrai des préservatifs.

– Mais, il n'y aura pas de prochaine fois ! Ne crois pas que tu vas devenir mon amant. Nous avons passé un bon moment ensemble et je ne le regrette pas. Mais je n'ai pas envie de mener une double vie : nous venons de tromper Vincent mais il n'y aura pas d'autres fois ! Il est l'homme que j'aime. Peut-être que ce soir, il va me faire l'amour, peut-être que je penserai un peu à toi alors qu'il viendra en moi, mais je crois que ce ne sera que fugace car il sait si bien me mener au septième ciel.

– Tu n'en sais rien ! Moi aussi je ne pourrais pas te mener au septième ciel !

– Non je n'en sais rien mais même si tu y arrivais, vu ce que tu m'as fait ressentir aujourd'hui, j'en suis même persuadée, il n'y aurait pas l'essentiel : car ce serait sans amour !

FIN.

Femmes infidèles 2

Cécile, mariée depuis 40 ans, succombe au désir ressenti pour son jeune voisin. Après plusieurs décennies de vie conjugale, elle se laisse tenter par cette nouvelle expérience.

Chapitre 1

Quel drôle de sensation quand Cécile prend conscience de la réalité : elle est dans son lit ; Elle entend des bruits dans la cuisine ; son mari certainement qui prépare son petit déjeuner avant de partir travailler. Il lui apportera bientôt sa tasse de café : c'est son habitude de venir la réveiller. Dans le noir, elle se sent toute chamboulée. Comme elle regrette que ce rêve se soit évanoui, elle était si bien dans les bras de Sébastien, ce jeune homme, elle la femme bien trop âgée pour qu'il s'occupe d'elle.

Bientôt 40 ans de mariage avec Laurent ; Elle s'étonne encore d'être tombée amoureuse de ce garçon alors qu'elle n'avait pas 20 ans. Il était beau, grand, bien bâti et c'était un excellent danseur. C'est son prénom qui l'avait fait hésiter à lui donner son cœur et puis un jour dans la campagne : un bel après-midi de juin, elle s'était donnée à lui. Il avait su se montrer tendre et c'est comme ça qu'elle s'était retrouvée enceinte. Ça ne se voyait pas sur la photo de mariage qui garnit l'un des murs de leur chambre à coucher. Comme ils ont l'air jeune, ils ont bien changé l'un et l'autre. Des frêles jeunes gens qu'ils étaient, ils sont maintenant bien enrobés l'un et l'autre : Laurent a forci mais surtout il a transformé ses poignées d'amour en une belle brioche. Quant à elle, elle a pris du poids aussi, mais de façon harmonieuse, ses seins et ses fesses ont bien sûr pris du volume mais ça doit être loin d'être désagréable vu les regards que lui lancent encore certains hommes de la classe comme on dit pour les personnes nées la même année que vous.

Elle attend son café mais ça gamberge dans sa tête : comment peut-elle avoir rêvé cela ? Ce n'est pas la première fois qu'elle se réveille avec cette sensation indéfinissable, comme si elle avait envie d'être cajolée et que Laurent lui fasse l'amour. Ses tétons étaient durs et son sexe fourmillait. Aujourd'hui ce sont les mêmes symptômes qu'elle relève, sauf qu'elle se souvient de son rêve : ce n'est pas Laurent qui lui procurait ces sensations mais son jeune voisin, le petit fils de Mémé Jeanne venu passer ses vacances chez sa grand-mère, beau comme un dieu qu'elle se plait parfois à regarder en train de tondre sa pelouse torse-nu ou en tee-shirt : une poitrine sculptée comme un apollon grec, des biceps noueux qui semblent vivre à chacun de ses mouvements. Un beau mec avec qui elle aurait pu faire des folies si elle avait eu vingt ou trente ans de moins et qu'elle ne soit pas mariée avec son Laurent. Car même s'il lui arrivait de regarder avec envie ce beau jeune homme, célibataire de surcroît, elle n'en restait pas moins fidèle aux liens sacrés du mariage, alors que son mari ne lui procurait plus suffisamment les frissons d'amour qui les avaient tant de fois réunis.

EH oui, au fil du temps, la passion s'est éteinte et les moments érotiques se sont faits de plus en plus rares. Quoiqu'à soixante ans passés, Laurent assure encore sa partie avec une certaine fougue qui la mène au septième ciel, mais une fois tous les quinze jours, ce n'est quand même pas la joie ; surtout que les gestes sont devenus, au fil des ans, répétitifs : un rapprochement au moment de se dire bonne nuit, un baiser sur les lèvres qui dure un peu, une main qui épouse son sein et puis, après quelques caresses, l'homme qui vient au-dessus d'elle et qui la pénètre. Encore heureux, avec l'âge, ça prend du temps pour faire monter la sauce et il arrive souvent qu'elle atteigne la jouissance avant que lui n'éclate en elle. Parfois elle aimerait qu'il soit plus brutal, qu'il ne se contente pas de douces caresses, qu'il se déchaîne dans les préliminaires en maltraitant ses seins, en employant des mots crus, en lui frappant les fesses alors qu'il la prend en levrette. Tout ça lui manque mais elle n'a jamais osé le lui dire.

Alors qu'elle a fini le café que son mari lui a apporté avant de partir travailler, elle se cale assise contre son oreiller et elle pense à son rêve : le baiser était intense sur ses lèvres, Sébastien lui dévorait la bouche en serrant son sein, le pétrissant comme le fait un boulanger avec sa pâte. Il allait certainement lui pincer les tétons à lui faire mal quand elle s'était réveillée. Comment en étaient-ils arrivés là, elle aurait été incapable de le dire ; ce rêve était sorti de nulle part mais avec un sentiment d'inachevé. Comme elle aurait voulu qu'il soit réel, ce moment !

Sa main droite s'est posée sur son sein, l'a caressé doucement et est allé retrouver le bourgeon qui prend vie. Instant fabuleux auquel elle s'adonne parfois et qui lui procure peu à peu des frissons. Sa main gauche ne reste pas inactive, elle va se nicher entre ses cuisses, là où se sécrète le doux nectar humidifiant ses lèvres qu'elle suit de ses doigts impatients d'atteindre le petit bourgeon d'amour qui va lui donner du plaisir. Elle se caresse d'abord avec lenteur puis peu à peu le mouvement s'accélère jusqu'à devenir petites frappes sur le clitoris gorgé de sang pour finir en apothéose. Elle a l'impression de n'avoir jamais éprouvé autant de plaisir qu'aujourd'hui, son rêve y est-il pour quelque chose ?

Chapitre 2

Une bonne douche là-dessus et là voilà prête à commencer sa journée : vider le lave-vaisselle après un petit déjeuner léger, puis vite elle veut aller tondre sa pelouse. Elle sait qu'il va faire chaud, aussi n'a-t-elle passé qu'un short assez ample qui n'en épouse pas moins ses larges fesses et un chemisier sans manches dont elle laisse le haut ouvert pour se donner un peu de fraîcheur et qui est à la limite de dévoiler son soutien-gorge à fleurs. Il y a encore un petit vent frais qui fait un bien fou sur sa peau dénudée, alors qu'elle va et vient sur la pelouse qu'elle aime tondre. Elle n'a jamais laissé cette tâche à son mari ; c'est un peu sa gymnastique pour garder la forme, elle suit la tondeuse automatique qu'elle met en marche un peu forcée. Parfois, elle s'arrête pour ramasser une branche ou un objet qui traîne. Elle ne le voit pas, pourtant Sébastien est là, tapi derrière la haie qui sépare les propriétés. Il aime la voir se baisser tantôt admirant ses larges fesses tantôt découvrant ses seins emprisonnés dans son soutien-gorge. Ce n'est pas de maintenant qu'il fantasme sur les formes de la voisine de sa grand-mère et il espère toujours en découvrir un peu plus. Et aujourd'hui il est servi, plusieurs fois elle s'est baissée, là juste devant lui et il a admiré les lourdes mamelles suivant la gravité naturelle et s'étirant vers le bas. Cela lui a procuré une érection qu'il n'a pas su contrôler. Quand il s'estime présentable, il quitte son poste d'observation et se présente sur le bord de la pelouse où Cécile est en train d'arrêter sa machine.

– Bonjour, Madame Ambre, vous avez fait là un beau travail. La pelouse est magnifique ! Mais, il fait vraiment très chaud aujourd'hui ! Vous devriez me confier ce travail.

Elle est surprise qu'il lui adresse la parole ; elle regarde autour d'elle craignant que quelqu'un ne la voie. Elle semble soulagée que les alentours soient déserts.

– Bonjour, Sébastien. Tu sais bien que j'adore tondre ma pelouse.

– Moi aussi j'aime tondre les pelouses des dames du quartier ; ça me permet de gagner un peu d'argent pour m'aider à finir mes études. Et pour vous, je ferai un tarif spécial.

– Et pourquoi tu me ferais un tarif spécial ?

– Parce que j'aime bien vous voir d'un peu plus près que de l'autre côté de la haie, surtout quand vous êtes en beauté comme aujourd'hui.

Vu le regard qu'il porte sur son chemisier qui découvre le haut de ses seins, il n'y a aucun doute sur le sens de ses paroles. Et c'est en rougissant qu'elle lui répond :

– Tu es un flatteur, Sébastien. Comment peux-tu dire cela à une vieille dame comme moi ?

– Mais vous n'êtes pas vieille et Monsieur Ambre a bien de la chance d'avoir une belle femme comme vous ! Mais laissez-moi vous aider, je vais ranger votre tondeuse dans la remise.

Disant cela, il a posé sa main sur celle de Cécile pour s'emparer de la barre qu'elle tenait encore Elle retire prestement sa main comme si une décharge électrique l'avait transpercée et son visage s'empourpre. Sébastien sourit de la voir troublée et sans rien dire il se dirige vers la remise où il sait que la tondeuse doit être rangée. Il marche d'un bon pas et Cécile l'accompagne ayant un peu de mal à suivre son allure. C'est essoufflée qu'elle arrive à la remise. Pendant qu'il range le matériel après l'avoir nettoyé, elle le regarde et elle aime cela : elle pense à son rêve, comme cela doit être bon d'être dans ses bras puissants contre son torse et de se faire embrasser par lui. Entend-elle seulement ce qu'il lui dit :

– Vous voyez comme vous êtes essoufflée, Madame Ambre. Je pourrais vraiment vous être utile si vous acceptiez que je vienne tondre votre pelouse chaque semaine et vous tenir compagnie quand vous le désirez.

– Je vais en parler à mon mari.

– Pour tondre la pelouse, oui, mais pour vous tenir compagnie, je ne pense pas que ce soit nécessaire : il n'en saura rien si vous ne le lui dites pas. J'aurai tellement de plaisir à venir vous voir et à échanger avec vous, vous êtes si belle !

Elle rougit une fois de plus. Comme elle aimerait lui dire qu'elle apprécie le compliment et surtout les regards qu'il lui porte et qui ne laissent aucun doute sur le sens de la compagnie qu'il lui propose sans que son mari soit au courant. Son rêve pourrait-il devenir réalité ? Mais la réalité aujourd'hui, c'est que Sébastien est parti avec un « au revoir ; à bientôt » plein de promesse.

Elle passe la journée à penser à ce jeune homme et à ce qu'il lui a dit. Pourtant, pendant plusieurs jours, elle n'a aucune nouvelle de lui ; elle ne le voit même pas aller et venir dans la rue comme à son habitude. Le matin, elle se lève aussitôt que son mari est parti pour observer l'objet de son désir mais c'est en vain. Ce matin, lasse, elle reste dans son lit après avoir bu son café. Toute à ses pensées, elle ne réalise que tardivement qu'une tondeuse est en train de fonctionner près de chez elle. Est-ce Sébastien qui serait en train de tondre la pelouse de sa voisine qui habite de l'autre côté de la rue. Elle l'imagine torse nu et elle n'a qu'une hâte, se lever et l'admirer. Derrière sa fenêtre, à l'abri des regards, elle veut le voir ; son cœur bat la chamade quand elle le découvre en train de tondre sa pelouse à elle. Il est là sur sa pelouse, vite elle s'habille, passe rapidement son soutien-gorge, un chemisier rose puis un pantalon par-dessus la culote avec laquelle elle a dormi : elle ne veut pas perdre de temps avant d'aller le rencontrer. Quand elle ouvre la porte, il est en train de revenir vers la maison, torse nu comme elle l'avait imaginé, comme il est beau, les pectoraux brillants de sueur. Elle le regarde avec un grand sourire sur les lèvres. Dès qu'il la voit, lui aussi lui sourit ; il arrête aussitôt la machine et s'avance vers elle tout en s'essuyant les pectoraux avec la chemise qu'il avait accrochée à sa taille.

– Bonjour, Madame Ambre. J'espère que le bruit ne vous gêne pas !

– Non, Sébastien. Mais que fais-tu là ?

– Comme vous voyez, je tonds votre pelouse et j'ai presque fini. Je me suis dit qu'il allait encore faire très chaud et que je pouvais vous rendre ce service puisque j'avais fini mon travail par ailleurs. Pas de souci pour votre porte-monnaie ! Cette fois, c'est gratuit, pour le plaisir de vous rendre service et de vous voir.

– C'est très gentil à toi. Mais je n'ai pas encore parlé à mon mari de ta proposition.

– Laquelle ?

– Comment ça ?

– Celle de tondre votre pelouse ou de vous tenir compagnie ?

– Tondre la pelouse !

– Qu'importe ! Vous le ferez certainement après. Je vais terminer ce travail et je rangerai le matériel après l'avoir nettoyé.

– Veux-tu boire quelque chose avant de continuer ?

– Je ne dis pas non. Une boisson fraîche me ferait le plus grand bien. Bien peu de gens pensent à m'offrir quelque chose. C'est vraiment gentil de votre part.

– Eh bien rentre dans ce cas. J'ai un bon jus d'orange au frais !

Elle le devance jusque dans le salon, il peut admirer, en la suivant, le balancement de ses hanches et surtout de ses belles fesses qu'épouse le tissu moulant de son pantalon. Il voit bien qu'elle porte une culotte pas très érotique par dessous. Cependant, s'il s'écoutait, il y porterait une main pour caresser cet énorme fessier mais il se retient, ne voulant surtout pas brusquer les choses, même si son grand sourire lorsqu'elle a ouvert la porte ne lui laisse aucun doute sur le plaisir qu'elle prend à le voir.

– Assieds-toi sur le canapé. Je vais chercher des verres et le jus d'orange.

Quand elle revient il est installé mais il a tiré la table basse pour qu'elle soit proche.

– Tu prends tes aises ! Pourquoi as-tu tiré la table ?

– Pour que ce soit plus facile pour atteindre nos verres. Venez-vous assoir à côté de moi ! Nous serons mieux pour parler

Elle vient s'assoir à côté de lui comme il le lui a demandé ; avait-elle le choix d'ailleurs. Assise, elle se penche pour servir le jus d'orange, sa chemise s'ouvre donnant une vue directe sur le haut de ses seins et sur son soutien-gorge. Son voisin profite du spectacle et ne cache pas l'intérêt qu'il porte à ce qu'elle lui montre sans le vouloir. Quand elle s'en aperçoit, elle se relève rapidement renversant du jus d'orange sur la table.

– Quelle empotée je fais. Je vais aller chercher du papier absorbant.

Elle nettoie tout d'abord la table basse, offrant une nouvelle fois la vue sur ses seins à son jeune voisin puis se met à genoux pour essuyer le liquide qui a coulé dur le carrelage. Sébastien, sous prétexte de l'aider, se met à genoux à côté d'elle. Ils sont là tous les deux, côte à côte, dans une position qui la trouble, elle sent le regard de Sébastien qui s'est une fois de plus invité dans son corsage et quand il place le papier sur le tas des déchets, elle s'attend à ce qu'il se relève mais il se tourne franchement vers elle :

– Madame Ambre, vous êtes trop belle !

Disant cela, sa main se pose sur sa nuque et il attire son visage contre le sien, elle ne résiste pas et il dépose un baiser léger sur ses lèvres.

– Vous êtes si désirable. Laissez-moi vous embrasser !

Et avant qu'elle puisse répondre, il s'empare de sa bouche et y dépose un baiser ardent, franchissant la barrière de ses dents pour aller caresser sa langue. Complètement sidérée par l'audace du jeune homme, elle ne réagit pas, ne participant pas au baiser qu'il lui impose. Pourtant qu'est-ce qu'elle en avait rêvé de cette situation avant qu'elle se réveille frustrée de ce songe qui s'arrêtait sauf que maintenant, le baiser ne s'arrête pas et qu'il prend même de l'intensité. Elle voudrait réagir mais elle est bâillonnée. Elle sent une main qui saisit son sein et le caresse par-dessus son chemisier puis qui retire les boutons pour en écarter les pans. Elle se retrouve en soutien-gorge sous les yeux de Sébastien. Jamais ses rêves ne l'avaient amenée à cela surtout que le jeune homme introduit une main sur son sein en-dessous du bonnet.

Comme il est bon d'être caressée par cette forte main qui s'empare de ses chairs. Son téton grandit quand ses doigts se referment sur lui et le pincent entre le pouce et l'index. Il libère sa bouche, elle peut réagir :

– Non Sébastien, arrête-toi ! Je suis une femme mariée. Je n'ai pas le droit de faire cela !

– Tes seins sont trop tentants et ton téton bande si bien que je suis sûr que tu y prends du plaisir.

Elle s'efforce de poursuivre son raisonnement alors que tout son corps voudrait qu'il continue et que parfois elle laisse s'échapper un soupir de plaisir quand les doigts font rouler le téton dur comme la pierre ou qu'il dépose des baisers sur son cou ou qu'il lui suce le lobe de l'oreille :

– Non ! Il ne faut pas ! Je t'en prie, Sébastien ! Je n'ai jamais trompé mon mari et je n'ai pas envie de commencer...

Pour la faire taire, il s'empare à nouveau de sa bouche, franchit facilement les lèvres et rencontre la langue de la sexagénaire ; pour la première elle répond à son baiser, la langue participe timidement d'abord puis plus franchement. Sébastien sait que la partie est gagnée, qu'elle est prête à franchir le pas de l'infidélité, alors, sans crier gare, il s'interrompt et sournoisement lui dit :

– Vous avez raison, Madame Ambre. Je me suis laissé emporter par mon désir. Je vous prie de m'excuser : je n'aurais jamais dû faire cela. Mais c'est de votre faute, vous avez une si belle poitrine que vous me laissez entrevoir ; je n'ai pas pu résister. Je vous prie de m'excuser ; vous ne direz rien à Monsieur Ambre !

Il se lève rapidement, lui tend la main pour l'aider à se relever et tout de suite se dirige vers la sortie en murmurant de nouvelles excuses. Cécile est surprise et déçue de sa décision. Si elle pouvait voir le sourire triomphant du jeune homme, elle comprendrait qu'il lui joue la comédie, mais il ne se retourne à aucun moment et en entendant le bruit de la tondeuse repartir, elle sait que c'est fini. Elle se demande même si ce n'est pas un nouveau rêve mais son chemisier grand ouvert et son téton tendu et douloureux ne lui laissent aucun doute sur la réalité des faits. Elle est bouleversée et surtout frustrée ; elle aurait tant voulu que cela continue, son sexe palpite de désir alors debout dans son salon, elle glisse une main dans son pantalon et sa culotte : quelques caresses plus tard sur son clitoris et elle explose en une jouissance qu'elle n'avait plus connue depuis longtemps. Exténuée par trop de sensations, elle s'affale sur son canapé et s'endort immédiatement.

Chapitre 3

Huit jours qu'elle n'a pas aperçu Sébastien. Cette absence lui manque : pourquoi est-elle allée lui dire ces idioties qu'elle ne pensait pas ? Elle allait justement se laisser aller et répondre à son baiser quand il l'avait abandonnée, la quittant sans un regard tout en s'excusant. Comme elle regrette maintenant qu'il a disparu de sa vie. Elle pensait qu'il viendrait tondre la pelouse mais la semaine est passée et la pelouse n'a pas été tondue. Elle n'a pas le moral, ce qui était un plaisir devient dans son esprit une corvée et elle n'a pas le courage d'entreprendre ce travail. D'ailleurs de quoi a-t-elle envie ? Même ses rêves sont devenus cauchemars, elle n'a plus retrouvé ces moments de tendresse qui la réveillait. Pourtant durant la journée des histoires tournent dans sa tête, histoires où Sébastien se montre entreprenant et où elle ne refuse plus ses caresses et même plus.

Hier soir, son mari lui a fait remarquer qu'elle n'avait pas tondu la pelouse. Elle lui a répondu sèchement qu'elle n'en avait pas envie et que, si ça le dérangeait, il n'avait qu'à la tondre lui-même.

– Tu sais bien que je ne peux m'occuper de la pelouse.

– Eh bien je n'en ai pas envie en ce moment. D'ailleurs je ne t'ai pas dit, mais le petit-fils de Mémé Jeanne cherche du boulot alors tu n'as qu'à lui demander de venir tondre la pelouse pendant que je ne me sens pas bien.

– S'il n'y a que ça, je vais aller le voir et le lui demander.

Il sort immédiatement et va chez leur voisine. Quand il est de retour, il est un désappointé :

– Il m'a dit qu'il allait réfléchir, car il a déjà beaucoup de travail et qu'il viendrait demain matin pour s'arranger avec toi. Je crois que tu auras intérêt à te lever tôt. Pour une fois tu pourras prendre ton petit déjeuner avec moi.

Elle a eu du mal à s'endormir à l'idée que Sébastien viendrait la voir alors que son mari serait au travail. Quelle serait son attitude après les remontrances qu'elle lui avait faites ? Le matin, elle entend son mari se lever et comme il le lui avait suggéré la veille, elle se lève aussi et pendant qu'il prend sa douche, elle va dans la cuisine préparer le café et mettre la table pour le petit-déjeuner. Elle a hâte que Laurent soit parti au boulot pour qu'elle puisse elle aussi prendre une bonne douche qui éliminerait les odeurs de la nuit. Elle veut être à son avantage quand Sébastien arrivera.

Ils sont en train de manger quand on sonne à la porte :

– Qui est-ce qui peut venir à cette heure-ci ? On n'attend personne. S Sébastien m'a dit qu'il viendrait vers la fin de la matinée. Va ouvrir ; je vais devoir partir bientôt si je ne veux pas être en retard au boulot.

Vêtue d'une chemise de nuit et la robe de chambre qui la couvre, elle ouvre la porte. Quelle n'est pas sa surprise de voir Sébastien tout sourire qui se fraie un chemin immédiatement dans le hall. Elle regarde par-dessus son épaule pour savoir si Laurent ne l'a pas suivie et lui dit :

– Mon mari est en train de prendre son petit...

Elle ne peut en dire plus, Sébastien passe sa main autour de sa taille et l'attire contre lui : il lui embrasse les lèvres comme il l'avait fait il y a quelques jours et glisse sa main sur sa poitrine pour saisir son sein libre sous les vêtements légers qui le couvrent. L'autre main de la taille passe à ses grosses fesses, ce cul dont il a tant rêvé depuis qu'il sait qu'elle est à sa merci. Comme il lui a été difficile d'attendre ce moment. Sein et fesse, c'est absolument délicieux, rond, moelleux à souhait, un vrai bonheur. Sa bouche a une odeur de confiture et sa langue goûte le fruit sur celle de la femme qui semble terrifiée mais qui accepte le baiser. Sa main a quitté ses fesses, ouvre la robe pour venir appuyer sa paume sur son entrejambe, écarte la culotte et trouve la fente.

– Qui est-ce ? crie Laurent de la cuisine.

Cécile ne peut répondre. Ses yeux expriment le désespoir et Sébastien la libère tout en continuant à explorer la vulve qui s'ouvre sous ses doigts. Elle mouille déjà, la coquine, pense-t-il tandis qu'elle peut enfin répondre à son mari :

– C'est Sébastien. Je crois qu'il veut s'entretenir avec toi avant que tu ne partes au travail.

Ils entendent une chaise bouger et des pas s'approcher de l'entrée. Laurent arbore un grand sourire et lui tend la main.

– Il ne fallait pas venir si tôt ! Vous pouviez régler cela avec ma femme. Moi, je suis d'accord pour que vous tondiez notre pelouse sur le temps de vos vacances : cela permettra à Cécile de souffler un peu et vous pourrez gagner un peu d'argent pour payer vos études. Venez donc prendre un café avec nous et peut-être manger quelques tartines. A votre âge, il faut prendre des forces.

Cécile retourne à la cuisine dans un état second, suivie des deux hommes qui continuent à discuter. Sébastien s'assied à côté de Cécile qui se trouve ainsi entre son mari et ce jeune homme entreprenant, car pour être entreprenant, il l'est. Aussitôt assise après avoir déposé les tartines toastées et versé le café, elle sent sa jambe se coller à la sienne et son pied passe entre les siens et il la force ainsi les écarter. Alors que le mari, est tout occupé à finir de manger, il passe sa main sur les cuisses, qu'il dénude en ouvrant la robe, la nuisette est remontée et il peut atteindre encore la vulve de la maîtresse de maison. Les lèvres sont soyeuses, dépourvue de pilosité et il se régale au propre et au figuré car il fait cela tout en mangeant les bonnes tartines à la confiture de fraises.

– C'est vraiment délicieux. Merci, Monsieur Ambre, de m'avoir invité pour partager votre repas. Vous avez une femme formidable !

Il a introduit un doigt dans la chatte de l'épouse qui se prête au jeu en se plaçant sur le bord de la chaise pour qu'il puisse aller plus loin entre ses parois.

– Vraiment, je n'ai jamais participé à un petit déjeuner aussi succulent ! faisant aller et venir le doigt dans l'antre accueillant.

Cécile ne peut s'empêcher de tressaillir et laisse même échapper un léger soupir qui intrigue son mari !

– Qu'est-ce qui t'arrive ? Tu ne te sens pas bien ?

– Non, aucun problème. C'est juste que je viens de penser à quelque chose que je dois faire absolument aujourd'hui.

Sébastien jubile devant ce mensonge assumé avec aplomb mais sentant le danger, il retire sa main et la replace là où elle aurait dû être depuis toujours ; il lui faut vite saisir une serviette pour effacer les traces de cyprine qui enduisent ses doigts et qu'il aurait du mal à expliquer si Monsieur Ambre les voyait. Celui-ci ne semble d'ailleurs pas se soucier de ce qui se passe à côté de lui, il finit son repas et se lève :

– Je pense que nous sommes d'accord sur l'essentiel. Vous verrez avec mon épouse pour votre rémunération. Elle m'a dit que vous lui aviez dit que vous nous feriez un prix spécial. Moi, il faut que j'y aille si je ne veux pas embaucher en retard !

Il prend sa sacoche dans laquelle se trouve son repas de midi ; sa femme le suit jusqu'à la porte pour lui dire au revoir :

– Passe une bonne journée, lui dit-elle.

– Merci ; Toi aussi. Repose-toi bien maintenant que tu as quelqu'un pour tondre ta pelouse ! A ce soir !

Il lui a déposé un baiser léger sur la joue et il est monté dans sa voiture. Elle lui fait un signe de la main, tout en refermant la porte. Elle éprouve comme un sentiment de honte en se dirigeant vers sa cuisine : elle va pour la première fois tromper son mari, ce mari qu'elle aime alors qu'elle désire ce jeune homme un peu pervers qui a osé la caresser sous la table à son nez et à sa barbe. Elle sent encore l'effet qu'ont procuré ses doigts dans sa chatte. Elle le retrouve assis à table comme elle l'a quitté, il finit son café, pose la tasse :

– Je vais débarrasser et faire la vaisselle. Puis j'irai m'habiller.

Il la regarde en souriant :

– J'ai d'autres projets pour nous deux maintenant que votre gentil mari est parti. Retirez votre robe de chambre avant de débarrasser ; j'ai envie de voir comment vous dormez la nuit et comment vous évoluez dans votre cuisine quand vous êtes seule. J'en ai tellement rêvé de vous surprendre au lever.

Après une légère hésitation, elle délie la ceinture et retire la robe, Elle porte une chemise de nuit qui lui arrive à mi-cuisses et qui laisse voir ses formes plantureuses à travers la dentelle transparente. Elle est pour ainsi dire nue devant lui ; il siffle d'admiration :

– Vous êtes merveilleuse ! Allez-y, débarrassez la table comme si je n'étais pas là !

Quand elle referme le lave-vaisselle, il est derrière elle. Elle sursaute ne l'ayant pas entendu se déplacer. Il lui saisit les seins tout en l'embrassant sur la nuque après avoir écarté ses cheveux blancs. Comme c'est bon de sentir sous ses mains puissantes ses gros seins qui tombent sur son ventre mais qui n'en restent pas moins fermes. Il l'entend soupirer :

– Vous aimez ça de vous faire tripoter les nichons par un autre homme que votre mari ?

Elle ne répond alors il lui pince les mamelons à lui faire mal :

– Dites-le que vous aimez vous faire tripoter les nichons !

– Oui, j'aime ça, dit-elle faiblement.

– Mieux que ça, vieille cochonne ! Répétez ce que je t'ai dit.

– J'aime que tu me tripotes les nichons. J'en rêvais même certaines nuits.

Les mains du jeune homme saisissent le bas de la nuisette et font passer le vêtement par-dessus tête. Elle lève les bras pour lui permettre de la mettre nue. Il la fait se tourner vers lui et lui embrasse la poitrine comme un affamé :

– Que de fois j'ai rêvé de ce moment en vous regardant derrière la haie quand vous vous baissiez ! Prendre dans ma bouche tes tétons cachés dans ton soutien-gorge.

Les actes suivent les paroles. Il s'empare d'un téton rigide qui trône au milieu d'une large aréole. Il l'aspire, il le tète comme un bébé glouton.

– Oh oui, c'est bon, lui dit-elle. Mordille-le ! J'adore ça !

Ses mains sont maintenant sur ses fesses qu'il malaxe, il la presse contre lui pour que son bassin vienne se plaquer contre sa virilité tendue. Il veut lui faire sentir combien il la désire. Quand leurs bouches se rejoignent, c'est un baiser torride qu'ils échangent. Où est la Madame Ambre, sexagénaire irréprochable aux yeux de tous ? Qui pourrait s'imaginer que cette femme puisse se laisser aller ainsi dans la luxure ? Ses baisers sont aussi passionnés que ceux de Sébastien : ils échangent leur salive, leurs bouches se séparent pour parcourir leurs visages et leurs cous. Il a retiré sa chemise et leurs poitrines nues sont en contact pour le plaisir des deux amants.

– On va aller dans votre chambre ; on sera mieux dans votre lit pour baiser ! C'est là que vous baisez normalement avec votre mari.

Elle réalise qu'elle va aller dans son lit pour la première fois avec un autre homme que son mari et que certains de ses rêves vont se réaliser : ce ne sont plus ses doigts qui vont pénétrer dans sa chatte mais une forte bite d'après ce qu'elle a senti contre son ventre. Elle le précède ; il admise son gros cul qui se trémousse devant lui, une simple culotte de grand-mère le couvre, rien de très sexy mais il sait que d'ici peu il va la lui retirer et qu'il pourra enfin réaliser l'un de ses fantasmes quand il la voyait tondre sa pelouse et qu'elle se penchait tantôt face à lui dévoilant ses lourdes mamelles, tantôt dos vers lui, le tissu du short ou de son pantalon épousant ses grosses fesses et parfois même se dessinait sous le tissu sa vulve. Il va enfin pouvoir l'admirer en live.

– Retirez votre culotte et allongez-vous sur le lit.

Elle obéit et le regarde se mettre nu. Elle tressaille quand elle voit le sexe du jeune homme, un peu plus gros que celui de son mari : il se dresse fièrement et elle ne peut que l'admirer ; quand il est à sa portée, elle le saisit :

– Vous en avez envie, de la bonne bite de Sébastien. Votre mari ne vous a pas baisée hier ? Vous êtes en manque !

– Non, il ne m'a pas baisée et je suis sûre que tu vas me combler ! Laisse-moi tout d'abord l'embrasser !

– Bien sûr, Madame Ambre. Allez-y, sucez-la bien avant que je vous la mette dans votre con !

Céline ne se le fait pas dire deux fois, elle s'agenouille et prend le gland entre ses lèvres, elle lui fait un anneau de sa bouche alors que sa langue lèche le méat, goûtant pour la première fois un autre sexe que celui de son mari et le pré-sperme qui s'en échappe. Est-ce le goût de la nouveauté ? mais elle aime ce jus qui s'échappe, lui trouvant une saveur salée-sucrée qui lui est inconnue. Une petite poussée sur sa tête et elle prend peu à peu la queue rigide du jeune homme dans sa bouche. Elle suce comme il le lui a demandé et surtout comme elle en a envie. Sébastien éprouve trop de plaisir et ne veut pas éjaculer dans sa bouche, ce sera pour une autre fois. Il n'a qu'une envie : la faire se retourner pour la prendre en levrette et en même temps admirer son cul.

Après quelques minutes de ce traitement, il se retire à regret de cette bouche si accueillante et lui dit de se tourner et de se mettre à genoux.

– Tu veux voir mon cul, sale petit cochon !

– Oui, j'aime vos grosses fesses et votre vulve que j'admirais sous votre pantalon serré quand vous vous penchiez en tondant votre pelouse.

– Parce que tu me regardais ?

– Bien sûr, derrière la haie qui sépare nos jardins !

– Si j'avais pu deviner ! J'espère que tu ne vas pas être déçu !

Non il n'est pas déçu. Ses fesses sont bien plus belles qu'il ne l'avait imaginé, à soixante ans passés, elles ne sont pas flétries, la peau a gardé une certaine souplesse, mais surtout ce qui attire son regard, c'est sa vulve aux lèvres gonflées et lisses, pas étonnant qu'il ait pu en voir les contours sous le tissu. Elles sont si gonflées qu'elle lui cache l'entrée. Il s'approche d'elle à genoux ; elle pense qu'il va la pénétrer ; mais il n'en est rien. IL dirige de sa main son sexe entre les lèvres dodues et il suit la fente mouillée jusqu'à atteindre le clitoris bandé. Comme elle est agréable, cette caresse qui les réunit étroitement l'un et l'autre sur un endroit aussi sensible. Elle soupire de satisfaction de sentir le gland qui se frotte entre ses lèvres et par-dessus son bouton d'amour.

Mais elle veut autre chose que ces caresses qui lui procure du plaisir sans déclencher en elle le tsunami auquel elle aspire et quand elle sent enfin le gland se positionner à son entrée et investir doucement sa chatte, elle sait que ses désirs vont être exhaussés. . Comme c'est bon de sentir ses chairs s'écarter et épouser étroitement la queue qui progresse lentement. Oui, il est bien plus fort que son mari qui parfois bande un peu mou. Lui aussi auparavant lui donnait entière satisfaction mais jamais elle s'est sentie aussi remplie. Elle aime qu'il aille entre ses parois dans des va et vient de plus en plus brutaux jusqu'à ce qu'elle explose pour la première fois. Elle n'est jamais venue aussi vite ; elle pense qu'il va s'arrêter mais il continue à la bourrer.

– Tu es une vraie salope ! Tout ce que tu veux, c'est une bonne bite dans ton con en te faisant caresser les fesses.

– Oh oui, vas-y ! Tu vas bien plus loin que mon mari et tu es si gros ! Je n'ai jamais été prise comme ça ! Surtout ne t'arrête pas !

Il pétrit les chairs comme le ferait un boulanger avec sa pâte fraîche. Il écarte les deux hémisphères pour introduire son pouce dans l'anus qui résiste un peu et s'ouvre sous la poussée. Il l'entend gémir, de plaisir ? de douleur ? Il s'en fiche mais il est vite fixé :

– Oh oui, vas-y ! Pousse bien ! C'est bon ! Tu aimes mon cul ! Tu le veux ! Mouille ton pouce ! Ça rentrera mieux !

– Oui, j'aime ton cul ! Ton gros cul !

– Vas-y ! Tu peux en faire ce que tu veux !

– Tu es une vraie cochonne ! Tu mérites d'être punie !

Il lui donne une première claque, puis une seconde et elle aime ça. Il continue à aller et venir en elle, son majeur a remplacé son pouce et joue avec son anus. Le doigt et le sexe évoluent à l'unisson, sortant et rentrant au même rythme.

– Oh oui, Sébastien ! Comme c'est bon ! Mais j'ai envie de ta bite dans mon cul ! Vas-y, encule-moi !

Il ne se le fait pas dire deux fois, il positionne son sexe. Madame Ambre est en attente, le souffle coupé, et quand il entre dans son étroit conduit et enfonce toute sa longueur en une seule poussée, elle laisse s'échapper un long cri de souffrance ; il est bien plus gros que son mari et elle apprécie qu'il s'arrête un petit moment, le temps qu'elle s'acclimate à son membre. Elle bouge un peu pour lui faire comprendre qu'elle est prête à subir ses assauts, alors il peut profiter de ce spectacle merveilleux de sa queue entrant et sortant de ce cul qu'il avait tant de fois imaginé. Il saisit ses seins et pince les tétons, il sent qu'il ne va plus résister très longtemps :

– Madame Ambre, je vais éjaculer dans votre cul ! Est-ce ce que vous voulez ?

Elle hoche la tête.

– Alors dites-le !

– Je veux que tu me baises le cul et que tu y restes le plus longtemps possible ! Je veux que tu continues même si tu me fais mal. J'aimerai sentir ton sperme envahir mes entrailles ! Oh oui, Sébastien, j'adore ta bite et ce qu'elle fait !

Les mots fouettent Sébastien ; il enfonce sa bite dans le cul de la vieille dame aussi loin que possible puis explose là où il ne pensait jamais avoir le droit de le faire. Elle pousse un cri si fort qu'il pense qu'il est allé trop loin mis il n'en est rien : Madame Ambre vient de jouir comme n'a jamais joui auparavant.

Elle essaie de reprendre son souffle, mais Sébastien ne l'entend pas comme cela. Il la fait se tourner et présente son sexe aux lèvres de sa vieille maîtresse :

– A toi de t'occuper de moi ! Nettoie ma bite et fais-moi bander !

Madame Ambre peut laisser libre cours à ses envies. Oui elle va le faire bander et profiter encore et encore de ce jeune amant vigoureux avant que son mari ne rentre du boulot.

FIN.

Rencontre Inoubliable

"Rencontre Inoubliable : Un Jeune Homme Solitaire et un Charismatique Couple"

Seul pour fêter ses vingt ans, le protagoniste est initialement déprimé, mais sa tristesse se dissipe lorsqu'il rencontre un couple aimable. Le charme de l'épouse ajoute une dimension invitante à cette rencontre surprise.

Chapitre 1

Vingt ans ! Combien de fois n'ai-je rêvé de la fête que nous organiserions le jour de cet anniversaire ! Combien de fois n'avais-je pas entendu mon père et ma mère entonner le refrain « On n'a pas tous les jours vingt ans ! Ça nous arrive qu'une fois seulement ». 5 fois déjà ! J'étais le dernier d'une fratrie de 6 frères et sœurs ! Tous avaient eu droit à une fête familiale un peu élargie, grands-parents, oncles et tantes avaient été invités, et au fil des ans, les conjoints et conjointes de mes frères et sœurs. Je me réjouissais de cette journée. Tout le monde serait là : personne n'avait quitté cette terre pour un monde dit meilleur, aucun couple ne s'était séparé et même des enfants étaient venus élargir le cercle de famille.

Et puis, catastrophe ! Me voilà nommé dans le Nord, à 800 kilomètres de ma famille. Fonctionnaire c'est bien, sauf quand on se retrouve seul dans une petite ville n'ayant pas encore eu le temps de se faire un cercle d'amis. Quant à faire l'aller-retour en train pour retrouver ma famille, il n'en est pas question : mon compte en banque ne supporterait pas cette dépense et comment être sûr que je serai revenu en temps et en heure pour être à mon poste le lundi matin. La SNCF n'a plus tendance à respecter ses horaires, toujours avec de bonnes excuses, bien sûr.

C'est pourquoi, je me retrouve seul à cette table d'un bon restaurant, ayant décidé de fêter mes 20 ans malgré tout avec un repas qui n'est pas dans mon budget habituel. Dans cette petite ville de province, je n'ai pas u vraiment le choix : il était prudent de réserver, c'est ce que j'ai fait. Ponctuel, comme tout fonctionnaire qui se respecte, je suis arrivé à l'heure. Il y avait déjà du monde et je me suis retrouvé au fond de la salle près d'un couple bien plus âgé que moi. Je les ai salués avant de m'asseoir, ils m'ont répondu avec un large sourire. Lui était le type même du cultivateur qui passe son temps à parcourir les champs, le visage bien rempli et halé par le soleil, comme celui de mon père ;

l'épouse semble un peu plus jeune, la quarantaine peut-être, des beaux cheveux noirs ondulés encadrent son visage et ses yeux bleu-vert sont absolument magnifiques. Il y a chez eux une certaine bonhommie qui me fait me sentir à l'aise. Le serveur m'apporte les livrets du menu et des vins et me demande :

– Je vous laisse faire votre choix. Voulez-vous prendre un apéritif ?

– Oui, je prendrais bien une coupe de champagne ! dis-je d'une voix qui se veut assurer.

– Je regrette, Monsieur, nous ne servons pas de champagne à la coupe. Le minimum est la demi-bouteille.

Une demi-bouteille ? Qu'est-ce que ça va me coûter ? Je n'ose quand même pas lui demander le prix. Devant mon air perplexe :

– Si vous voulez consulter les autres possibilités, je reviens dans quelques minutes.

Cette conversation n'a pas échappé à mes voisins. Le mari se tourne vers moi :

– Que fêtez-vous, jeune homme ? C'est rare qu'une personne seule demande une coupe de champagne !

Vais-je me confier à de parfaits inconnus, même s'ils me semblent bien sympathiques ? Je me lance et d'une voix mal assurée :

– Je fête mes vingt ans ! Normalement, vingt ans, on fête ça en famille. Mais je viens d'arriver dans la région pour le travail et mes parents habitent à l'autre bout de la France. Je ne peux retourner chez moi avant les vacances. C'est aujourd'hui que je veux fêter mon anniversaire.

– Vous n'avez pas trouvé d'ami ou une petite amie pour vous accompagner ? demande sa femme.

Il y a dans sa question et dans son regard un sentiment de pitié vis-à-vis de moi. Je n'avais pas tellement prêté attention à cette femme qui pourrait certainement être ma mère, même si elle me semble plus jeune qu'elle, mais elle m'apparaît tout à coup sympathique et surtout très belle. Ses cheveux bruns encadrent un joli minois légèrement maquillé et un chemisier bleu légèrement ouvert souligne ses seins sans rien dévoiler. J'ai enregistré tout cela en un quart de seconde :

– Non, pas d'ami et encore moins de petite amie ! Donc, j'aurais bien voulu trinquer avec moi-même pour mon anniversaire ! Du champagne s'imposait dans mon esprit !

– Qu'à cela ne tienne, vous allez trinquer avec nous, dit le mari. Nous attendons notre bouteille de champagne ; nous allons demander au serveur d'ajouter un verre.

– Vous êtes trop aimables. Je ne puis accepter, je ne voudrais pas vous déranger.

– Voyons, à propos quel est votre prénom ?

– Hervé, Madame.

– Ne m'appelez pas madame. Moi, c'est Estelle et mon mari, Rodrigo. Nous fêtons aujourd'hui comme à notre habitude nos saints patrons. Alors fêter en même temps votre anniversaire, c'est merveilleux. Vous ne nous dérangerez pas le moins du monde. Quel jour êtes-vous né ?

– Le 11 mai. C'est aujourd'hui mon anniversaire !

– Nous étions faits pour nous rencontrer ! Le jour de la Sainte Estelle ! Pour mon mari, la Saint Rodrigo se fête le 14. Nous allons demander au serveur de rapprocher nos tables, vous allez partager notre repas. Et ne nous dites pas non ! Ce n'est pas tous les jours que je rencontre quelqu'un qui fête ses vingt ans le jour de la Sainte Estelle ! Qu'en dis-tu, Rodrigo ?

– Je trouve que tu as raison. Nous allons en plus pouvoir échanger avec ce jeune homme !

Lorsque le serveur apporte la bouteille qu'ils avaient commandée, Rodrigo lui demande s'il peut rapprocher nos tables et de bien vouloir apporter une carte muette, lui faisant savoir que j'allais partager leur repas.

– Qu'est-ce qu'une carte muette ?

– Une carte où les prix des plats ne sont pas indiqués. Nous ne voulons pas que vos choix se fassent selon les prix. Maintenant parlez-nous un peu de vous.

Je me raconte et ils font de même ; une véritable complicité se crée entre nous quand nous découvrons que nous sommes issus de l'agriculture, eux dans le nord, mes parents dans le sud. Nous pouvons échanger ainsi sur les différences dans la manière de cultiver. Même si tout cela est loin de mes préoccupations professionnelles, je suis à l'aise pour parler du travail de mes parents puisque durant les vacances, j'ai souvent participé aux travaux d'été.

Il m'arrive souvent de m'attarder sur le beau visage d'Estelle quand elle me parle: sans être celui dont je rêve parfois en voyant de belles actrices sur l'écran, il présente des traits fins et surtout ses yeux bleus sont d'une pureté inouïe. Parfois, mon regard croise le sien mais vite, par timidité, je détourne les yeux. Les mets sont succulents et il se fait des silences quand nous dégustons le plat principal ; pour ma part j'ai choisi un tournedos de bœuf avec sa sauce au foie gras. Je ne sais si cela aurait été mon choix si j'avais mangé seul. Je sens le regard d'Estelle alors qu'elle a repoussé son assiette et je termine la mienne. Rodrigo a fini depuis longtemps.

– C'était bon ! dit-il. Je crois que je vais m'accorder une petite pause avant de prendre le dessert. Vous fumez, Sébastien ?

– Non, Rodrigo, je n'aime pas ça.

– Dans ce cas, je vais me rendre dans une pièce que l'on réserve aux fumeurs. C'est un secret pour les habitués : je vais pouvoir aller fumer un cigare et prendre un verre de cognac.

– Tu exagères ! Tu vas nous laisser seuls un bon moment !

– Pourquoi n'iriez-vous pas vous dégourdir un peu les jambes dans le petit square qui est en face du restaurant ? L'air est assez doux ce soir ! Qu'en penses-tu ? Et vous, Sébastien ?

– Si votre femme le désire, oui, il me plairait d'aller prendre un peu l'air en vous attendant.

– D'accord, j'avertis le serveur. Qu'il nous réserve notre table et diffère notre dessert. Mets un châle sur tes épaules

Estelle se lève, je l'imite. C'est la première fois que je la vois debout. Elle est belle. Ce que je croyais être un chemisier est en réalité une partie de sa robe et le moins que l'on puisse dire, c'est qu'elle épouse à merveille ses formes. J'ai rarement vu une femme aussi belle ; je me sens intimidé surtout quand elle me demande de l'aider à mettre son châle sur ses épaules.

Dès que nous franchissons le portail du square, elle me prend le bras :

– Vous permettez ? Je sais d'expérience qu'il m'est difficile de marcher sans me tordre les pieds dans ces allées caillouteuses. Ça ne vous dérange pas ? Que vont penser ceux que nous croiserons ?

– Il n'y a pas beaucoup de promeneurs, semble-t-il ! Et puis que pourraient-ils penser, nous ne faisons rien de mal !

– Un beau jeune homme qui entraîne dans un square une quarantenaire ou le contraire, une quarantenaire qui entraîne le beau jeune homme ! Ça peut faire jaser, vous ne croyez pas ?

– Vous avez oublié de dire une belle quarantenaire.

– Vous êtes jeune, mais vous savez parler aux femmes.

Nous avançons en silence. Nous croisons bien quelques couples sans qu'ils prêtent attention à nous avant de pénétrer dans un dans une sorte de clairière où trône en son centre une fontaine surmontée d'une petite sculpture représentant un ange avec un arc.

– La fontaine de Cupidon. La statue est très belle en pleine lumière.

– Est-ce ici que vos cœurs ont été transpercés ?

– Non, nous n'avons connu cet endroit que tardivement : après 5 à 10 ans de mariage ! A un moment où la passion était moins forte mais Cupidon n'a plus rien fait pour nous ! Nous en aurions pourtant eu besoin !

Elle lève la tête et regarde le ciel. Un petit croissant de lune nous indique que ce sera bientôt la nouvelle lune. Par contre le ciel est étoilé, absolument magnifique.

– Nous sommes bien peu de chose face à cette immensité,

On pourrait croire qu'elle se parle à elle-même. Mais, ce n'est pas le cas :

– Connaissez-vous les étoiles. Je cherche toujours à trouver l'étoile polaire. Sauriez-vous me la montrer. On dit qu'elle indique le nord !

Je remercie intérieurement mon père qui m'a initié à la découverte du ciel. Je lui montre l'étoile qu'elle cherche. Elle ne la repère pas ; pourtant elle brille un peu plus que les autres. Désespérant qu'elle la trouve, je me place derrière elle, je lui prends la main droite ; nos bras sont l'un contre l'autre et je guide sa main vers le petit chariot, m'arrêtant sur chacun des points lumineux pour enfin nous positionner sur l'objet de sa recherche.

– La voilà, celle qui vous indiquera le nord. Voulez-vous que je vous montre le grand chariot que l'on appelle aussi la grande ourse.

– Oui, apprenez-moi !

Elle se penche en arrière et vient poser son dos contre mon torse. Ses cheveux frôlent mon visage, je sens son parfum.

– J'adore votre parfum ; il est à votre image : un mélange de maturité et de finesse, de fruits un peu acidulés et fruits mûrs.

– Merci ; mais comment savez-vous cela ?

– C'est ma mère qui me l'a appris. Comme mon père m'a appris à lire dans le ciel.

Nous parcourons les étoiles de la grande ourse, puis je lui montre la constellation du taureau qui à cette période de l'année se trouve juste en-dessous. A mesure que nous évoluons dans le ciel, elle se penche de plus en plus en arrière et sans penser à mal, je pose ma main sur son ventre pour trouver notre équilibre.

– Voudriez-vous me montrer la constellation des poissons ? Je suis née en mars.

Je cherche un long moment avant de trouver sur la droite ces points en forme de V.

Tandis que nous dessinons la constellation, elle prend ma main gauche posée sur son estomac et la fait remonter doucement jusque sur son sein puis sur sa chair nue.

– Caresse-moi. Tes mains sont si douces.

J'abandonne sa main et je caresse doucement ses seins. Ma bouche se fraie un passage entre ses cheveux et je l'embrasse sur la nuque, dans le cou, derrière l'oreille. Je l'entends soupirer. Son parfum m'enivre. Malheureusement nous entendons des pas qui se rapprochent de nous ; nous nous séparons, elle me prend la main et nous quittons cet endroit enchanteur.

– Je crois que Cupidon a été actif ce soir. Il a trouvé le chemin de mon cœur, me murmure-t-elle en me serrant doucement la main.

Nos pas sont lents pour le retour ; nous retardons le moment où il nous faudra nous désunir. Au dernier tournant avant la l'allée qui nous conduira au portillon, elle s'arrête et me fait face :

– Viendrais-tu si je t'invite à venir passer un week-end chez nous ? Nous y avons une grande maison.

– Que dirait ton mari ?

– Rodrigo ? J'en fais mon affaire. Il est fier de notre maison et il voudra certainement te faire découvrir sa ferme. Tu viendras ?

– Mille fois oui !

Elle dépose un baiser léger sur mes lèvres et nous nous dirigeons vers la sortie.

Nous ne nous tenons plus la main quand nous apparaissons à la vue des gens qui se tiennent à la porte du restaurant en train de fumer une cigarette. Rodrigo est là lui aussi.

– Tu n'as pas eu froid ?

– Non, mon châle me protégeait et Sébastien m'a fait découvrir l'étoile polaire et surtout la constellation des poissons. C'était passionnant !

– Venez, nous allons prendre notre dessert et il sera temps de repartir si nous ne voulons pas rentrer trop tard chez nous. Nous avons un peu de route.

– De toute façon, c'est moi qui vais conduire. En cas de contrôle, il vaut mieux que ce soit moi qui souffle dans le ballon. Vous savez, Sébastien, il est rare que mon mari ne me laisse pas le volant la nuit.

C'est en riant qu'ils s'asseyent à leur table. Le dessert leur est servi, ils finissent la bouteille de champagne. Estelle se sert un verre d'eau. Rodrigo lève son verre :

– A cette belle soirée !

– Oui, une soirée extraordinaire, lui réponds-je en trinquant. Mes 20 ans, je m'en souviendrai toute ma vie. Je ne pouvais espérer mieux.

– Vous pouviez espérer mieux : retrouver votre famille,

– A vos 20 ans, me dit Estelle en choquant son verre d'eau avec ma flute de champagne. Pour moi aussi, ce fut une bonne soirée comme je n'en ai pas connue depuis longtemps. Mais dites-moi, vous allez être bien seul durant vos week-ends ; ça vous dirait de venir nous rendre visite chez nous. Vous êtes si loin de vos parents. Qu'en penses-tu, Rodrigo ? Il pourrait venir passer un long week-end à la maison ?

– Mais bien sûr ! Tu as toujours des idées formidables. Sébastien, nous vous inviterons bientôt. Vous donnerez votre numéro de téléphone à Estelle.

Je vois Estelle me faire un clin d'œil comme pour me dire : « Tu vois, ce n'était pas plus difficile que ça ! »

Quand nous nous quittons, c'est une poignée de mains que nous échangeons, même si je vois dans les yeux d'Estelle un regard plein de promesses de délices à venir. Alors que son mari, lui tourne le dos pour monter en voiture côté passager, elle se tourne vers moi et m'envoie du bout de ses doigts un baiser auquel je n'ose pas répondre de peur de me faire surprendre. Je lui fais cependant un grand sourire. Les voilà partis ; je regarde les feux arrière disparaître dans la nuit et je rentre chez moi, le cœur chaviré par ce que je viens de vivre.

Chapitre 2

Le lendemain, je ne suis pas très opérationnel au boulot. Mes idées sont tournées vers Estelle. A chaque fois que mon téléphone sonne, je pense que c'est elle qui m'appelle. Et puis le temps passe et je me fais une raison. Comment une aussi belle femme pourrait-elle s'intéresser à moi, un jeunot de 20 ans ? Ce ne sont pas les hommes plus expérimentés que moi qui doivent lui faire la cour et les avances pour la mettre dans leur lit. Trois semaines ont passé depuis mon anniversaire, quand le mercredi mon téléphone sonne. Un numéro inconnu s'affiche, je décroche m'attendant à tomber encore sur une de ces publicités qui nous empoisonnent la vie. Je m'apprête à envoyer paître l'importun, quand j'entends sa voix :

– Allo, Sébastien ? C'est Estelle, je pense que vous vous souvenez de nous.

– Estelle ? Oh oui, je me souviens de vous. Comment aurais-je pu vous oublier ?

– Rodrigo et moi, nous vous invitons à venir passer le week-end chez nous, comme nous vous l'avions dit.

Son vouvoiement et ces paroles un peu distantes me font penser qu'elle n'est pas seule. D'ailleurs j'entends parler au loin.

– Chéri, c'est Sébastien ! Je l'invite à venir passer le week-end chez nous. Il devrait faire beau.

– Ah oui, le jeune Sébastien ! Tu as raison, qu'il vienne ce week-end !

– Avez-vous une voiture ?

– Non.

– Ce n'est pas grave ! Vous pouvez venir par le train. Nous n'habitons pas loin de la gare. Je pense que vous devriez trouver une correspondance. Quand finissez-vous votre semaine ?

– Le vendredi vers 16 heures. Je vais me renseigner des horaires possibles !

– C'est très bien comme cela. Je vous rappelle pour que nous puissions nous mettre d'accord. J'irai vous chercher à la gare. A bientôt, Sébastien.

Je n'ai pas le temps de répondre qu'elle a raccroché.

Mon cœur bat la chamade. J'aurais aimé qu'elle me parle un peu plus, qu'elle me laisse entendre qu'elle se souvenait de notre trop brève étreinte près de la fontaine de Cupidon, elle n'en a rien fait ; j'ose espérer que c'est la présence de son mari qui l'en a empêché. Mais le doute s'installe en moi. Cela ne m'empêche pas de chercher rapidement le train qui me mènera chez elle. Je me vois déjà sur le quai de gare en train de la prendre dans mes bras. Une chance, un tortillard qui part de 17h30 et arrive à destination un peu avant 19h. Il ne me reste plus qu'à attendre qu'elle me rappelle.

Le lendemain alors que je suis seul dans mon bureau, son numéro s'affiche. Le cœur battant je décroche :

– Bonjour, Sébastien. As-tu trouvé une correspondance ?

Elle m'a tutoyé ! Je crois bien qu'elle est seule.

– Oui. J'arriverai vers 19 heures. Ce n'est pas trop tard ?

– Non. J'irai te chercher à la gare, je t'attendrai à l'extérieur. Après le dîner, nous aurons le temps, je pense, de nous promener et de regarder les étoiles. J'ai montré à Rodrigo ce que tu m'avais appris ; mais c'est à toi que je pensais en lui montrant l'étoile polaire. A vendredi.

Elle a raccroché trop vite comme si elle avait peur de ce qu'elle venait de dire. Comment dois-je interpréter ce qu'elle vient de dire ?

Quand je sors de la gare, je la vois près de sa voiture : elle est à l'image de mes souvenirs, tellement belle dans son ensemble avec ce sourire merveilleux qui illumine son visage. Je m'approche, elle me tend la main pour me dire bonjour :

– Bonjour, Sébastien, avez-vous fait bon voyage ? me dit-elle assez fort pour être entendue de ceux qui sont près de nous. Avec ces vieux tortillards, ce n'est pas très agréable de voyager ! Mettez votre bagage sur le siège arrière.

Puis,

– Oh bonjour, Madame Rachelle, je ne vous avais pas vue ! Donnez le bonjour à votre mari.

– Je n'y manquerai pas. Faites de même à Rodrigo !

Nous montons en voiture. Elle démarre et tout en conduisant :

– Madame Rachelle, une fieffée bonne femme, celle-là ! Toujours à l'affût des ragots ! Surtout qu'elle m'en veut toujours que Rodrigo m'ait préférée à elle ! Il me faut toujours faire attention, nous sommes très connus, Rodrigo et moi !

Nous sommes bientôt arrivés chez elle, une belle maison qui en impose au milieu d'une grande pelouse.

– C'est drôlement beau !

– Tu le diras à Rodrigo ! C'est lui qui en a conçu les plans, aidé par un de ses amis architecte. Il en est très fier !

En rentrant dans le hall, elle dépose ses clés sur une desserte et se dirige vers le salon en faisant signe de la suivre.

– Rodrigo, nous sommes arrivés.

– J'arrive, je finis ma conversation avec Peterson.

Il lui faut peu de temps avant de nous rejoindre. C'est avec un grand sourire qu'il m'accueille et sa poignée de main est franche et vigoureuse.

– Voilà donc notre jeune ami. Vous avez fait bon voyage ?

– Oui, mais ce qui me plait, en plus de vous retrouver, c'est de découvrir la merveilleuse habitation que vous avez ! C'est presqu'un château !

– N'exagérons pas ! Mais c'est vrai que j'en suis assez fier et que je prends beaucoup de plaisir à l'habiter. Si vous voulez, je vais vous faire une petite visite et vous montrer votre chambre. Nous y déposerons vos bagages plus tard. Pour une belle maison, c'est une belle maison : un rez–de-chaussée immense comprenant salon et salle à manger, à l'étage 4 chambres et 3 salles de bain.

– Voilà votre chambre ! Je pense que vous y serez très bien, elle donne sur le parc derrière la maison, loin des bruits de la rue. Vous allez passer une nuit ou deux avec nous ?

– Deux nuits, si cela ne vous dérange pas.

– Si vous ne ronflez pas au point de réveiller la maison, ça devrait aller, dit-il en éclatant de rire.

Son rire est contagieux et nous n'avons pas fini quand nous retrouvons Estelle assise dans le salon.

– Qu'est-ce qui vous fait rire comme cela ?

– Sébastien se propose de passer deux nuits chez nous. Il m'a demandé si cela ne me dérangeait pas, je lui ai dit que ça devrait aller s'il ne ronflait pas trop fort !

– Tu parles d'expérience ! Quand tu ronfles, ce serait plutôt toi qui le réveillerais !

– A propos, je veillerai demain à ne pas vous réveiller. David vient me chercher à 5 heures pour que nous allions préparer le parcours du rallye. Vous nous rejoindrez en début d'après-midi après le déjeuner !

– D'accord ! Mais pas trop tôt, tu sais que je n'aime pas trop ce genre de manifestations ! Tu penses en avoir fini vers quelle heure ?

– Vers 16 ou 17 heures.

– Eh bien, nous y serons vers 16 heures pour la remise des récompenses ! Qu'en penses-tu ?

– Ça me va ! Tu as quelques coupes à remettre en tant qu'épouse du Président ! Mais, on parle et l'heure avance. Que dirais-tu de nous servir un apéro, surtout que Sébastien doit être assoiffé !

– Je crois qu'il n'y a pas que lui. Mais je vais aller me changer, passer quelque chose de plus léger que cette robe !

– Mais tu es très bien comme ça !

– Tu m'excuseras, mais c'est moi qui ne suis pas à l'aise dans cette robe pour commencer un week-end décontractée !

Elle nous quitte pour se diriger à l'étage. Rodrigo m'entraîne sur la terrasse et me fait asseoir/

– Eh oui, Sébastien. Les femmes savent imposer leur volonté aux hommes ! Ce que femme veut, Dieu le veut ! Comment un pauvre homme peut-il changer quelque chose ? Une flute de champagne, ça vous dirait ?

– Que fêtons-nous aujourd'hui ?

– Rien de spécial ! Le plaisir de nous retrouver. Et puis, je ne vais pas vous le cacher, j'adore le champagne !

Les flutes sont sur la table, la bouteille au frais dans le seau à glace, nous attendons qu'Estelle revienne. Elle apparaît ayant revêtue une robe légère en mousseline couleur fuchsia légèrement décolletée. Au vue des mouvements de ses seins, il me semble qu'elle n'a pas mis de soutien-gorge. Elle a capté mes regards et ne tarde pas à me donner la confirmation en se penchant pour atteindre son verre. Elle s'attarde un peu plus qu'il ne faudrait : c'est sciemment qu'elle me dévoile l'un de ses seins, ce sein que j'ai caressé et dont le téton est dressé. Elle me sourit quand elle se rassied et à l'insu de son mari, elle gonfle un peu la poitrine comme pour me dire « ils te plaisent ? ». Je suis mal à l'aise, craignant que Rodrigo s'aperçoive du petit jeu de sa femme. Elle recommence en me servant, prétextant que le plat est trop chand et tournant le dos à son mari.

– Je suis sûre que vous allez apprécier. Rien que spectacle en vaut la peine, mais ce sera bien meilleur quand vous y aurez goûté !

J'apprécie cette phrase à double sens :

– Il faut avouer, dit Rodrigo, qu'Estelle n'a pas sa pareille pour vous mettre l'eau à la bouche et elle ne déçoit jamais quand vous goûtez ce qu'elle vous sert.

Estelle éclate de rire !

– Tu as raison, mon chéri ; c'est dommage tu ne savoures plus à sa juste valeur, certainement à cause de l'habitude ou par manque d'appétit ! Mais mangeons pendant que c'est chaud !

Nous mangeons en silence. J'ai craint que Rodrigo se fâche mais il n'en est rien. Après le dessert, il nous dit :

– Vous m'excuserez, mais si vous le permettez, je vais aller me coucher. Demain la journée sera longue et je dois me lever tôt. Sébastien, j'ai passé une bonne soirée en votre compagnie. Nous nous reverrons demain pour la remise des récompenses. Estelle, tu pourras servir un bon cognac à notre ami pour finir la soirée.

– Oui, mais j'irai tout d'abord parfaire ma connaissance des constellations avec Sébastien. J'ai encore tellement à apprendre !

Alors que nous entendons Rodrigo monter l'escalier :

Chapitre 3

– Qu'est-ce que j'en ai rêvé de ce moment que nous avons passé ensemble près de la fontaine de Cupidon. La nuit sera bientôt noire et nous pourrons enfin nous retrouver à regarder les étoiles. J'ai envie que tu me prennes dans tes bras.

– Vous n'avez pas peur que votre mari revienne ?

– Non. Il dormira bientôt et quand il dort...Mais tutoie-moi maintenant qu'il n'est plus là !

– C'est drôle qu'il nous laisse tous deux. Sait-il pour nous ?

– Non, bien sûr qu'il ne sait pas ! Il n'imagine même pas que ma libido ne soit pas au diapason de la sienne. Tu sais, il a 15 ans de plus que moi et il n'a jamais été très porté sur le sexe et avec l'âge, ça ne s'arrange pas. Au début de notre mariage, je trouvais ça normal. C'était le seul homme que j'ai connu, jusqu'à ce qu'un collègue me fasse du gringue un soir de fête dans l'entreprise. C'est un peu pompette que j'ai accepté qu'il me raccompagne et c'est ainsi que j'ai découvert le plaisir du sexe dans sa voiture. J'ai été sa maîtresse durant quelques années. Mais il a fini par être décevant, ne voulant plus se contenter de nos rencontres à la sauvette. Il voulait que je divorce, que nous vivions ensemble. Je tiens à mon mari, j'ai donc rompu. Depuis je suis restée sage, comme si cette expérience avait cassé quelque chose en moi ! Rodrigo a peu à peu espacé nos moments d'intimité et je t'avoue que ça fait plus de trois mois qu'il ne m'a pas fait l'amour. Ça ne me manquait pas mais, en prenant ton bras pour ne pas me tordre les pieds dans l'allée, je suis sentie attirée par toi : ta gentillesse, ta jeunesse, nos conversations à table, et puis tu es si beau ! Comme j'ai aimé sentir tes mains sur moi. J'en rêve souvent depuis. Viens, la nuit est tombée. Allons voir les étoiles !

Nous nous levons et quittons la terrasse pour nous enfoncer dans la nuit noire. Elle se rapproche de moi et passe son bras autour de ma taille. Je fais de même : sous ma main, la chair tendre de sa hanche que je caresse doucement par-dessus sa robe. Quel plaisir ! Je réalise que je ne sens rien d'autre que le tissu de sa robe entre ma paume et sa hanche, pas la moindre accroche qui signalerait la présence d'une culotte. Nous sommes loin de la maison maintenant. Nous regardons les étoiles, elle me prend la main droite et la dirige vers l'étoile polaire :

– Tu te souviens ? C'est toi qui me montrais les constellations. Tu vois, j'ai retenu ma leçon.

– Oui, je me souviens. Je me souviens aussi que tu as guidé ma main sur ta poitrine.

– Qu'attends-tu alors ? Caresse-moi. J'ai envie de tes mains sur mes seins.

– Ils sont nus aujourd'hui sous ta robe, dis-je en posant mes mains sur eux.

– Oui, ils sont nus pour toi, caresse-les de tes mains si douces, puis je vais te les offrir et tu les dégusteras comme je te l'ai promis tout à l'heure.

Nos bouches se rejoignent et nous échangeons un long baiser. Tout est douceur et tendresse tandis que mes mains pressent ses seins par-dessus la fine étoffe en mousseline.

– J'ai rêvé de ce moment. Sentir sous mes doigts tes seins magnifiques et leurs tétons dressés. Ils sont si fermes !

– J'aime que tu les caresses ! Mais tu sais, mon corps aime aussi sentir les mains d'un homme se promener sur lui. J'aime ta bouche sur mon cou et sur ma nuque comme tu le faisais dans le square. Je suis nue sous ma robe, caresse-moi.

Mes mains s'activent sur ce corps qu'elle m'offre. Tout en l'embrassant dans le cou, elles parcourent son dos, sa chute de reins qu'elle a magnifique puis ses fesses pleines. Je l'entends soupirer quand me bouche s'empare d'un téton à travers sa robe, je le mordille doucement tandis que ma main gauche atteint sa chair nue sous l'ourlet le long de sa cuisse, je la sens frissonner mais quand je m'engage pour aller plus haut :

– Non, mon chéri. Pas ce soir. Demain matin, quand Rodrigo sera parti, je serai tout à toi !

– Tu m'as dit qu'il dormait.

– Oui, il dort, c'est moi qui ne suis pas à l'aise de le savoir si proche. Je pense d'ailleurs qu'il serait temps que nous allions nous coucher.

Je ne discute pas même si je me sens frustré, comment peut-elle ignorer combien je le désire ? Le sent-elle ?

– Je te promets que demain je serai à toi. Je t'offrirai ce que tu désires, même tes pensées inavouables ! Embrasse-moi et rentrons !

Nous nous séparons sur le palier; je la vois disparaître pour aller dormir près de son mari, j'avais espéré jusqu'au bout qu'elle me suivrait dans ma chambre ; elle m'envoie juste un baiser comme elle l'a fait quand elle est montée dans sa voiture. Il ne me reste qu'à aller me coucher

Chapitre 4

C'est mon habitude, quelle que soit la saison, je dors nu excepté un short que ma mère m'a toujours demandé de porter. Dormir dans la même chambre que mes frères et, avec l'arrivée toujours inopinée, de l'une ou l'autre de nos sœurs, c'était une question de bienséance et de pudeur. J'ai eu du mal à m'endormir : je pensais à Estelle et à ce qu'elle m'avait permis et surtout à ce qu'elle m'avait promis pour le lendemain ; j''échafaudais des plans dans ma tête sur ce que cela pourrait être. Au milieu de tous ces fantasmes à chaque fois différents et toujours un peu les mêmes, je finis par m'endormir. C'est d'un profond sommeil que je suis tiré en sentant une bouche déposer un baiser sur mes lèvres et puis une voix douce qui me dit :

– Laisse-moi faire. Rodrigo vient de partir. Nous avons la matinée pour nous. Ferme les yeux et profite !

Elle descend doucement sur mon torse et sa bouche se pose sur mon téton droit, en même temps que ses mains parcourent mon corps s'attardant sur mes muscles qui sont loin d'avoir atteint leur complet développement mais qu'elle prend plaisir à caresser. Je me laisse faire, je ne bouge pas, savourant le doux réveil qu'elle me procure ; pourtant qu'est-ce que j'aurais aimé la pendre dans mes bras et me régaler de ce corps nu qui se love contre moi.

Ses mains s'activent et descendent sur mon ventre jusqu'à toucher le haut de mon boxer. Va-t-elle soulever ce seul rempart qui protège ma virilité dressée qui doit faire un joli chapiteau. Non, elle s'éloigne puis :

– Tourne-toi ! Mets-toi sur le ventre.

Je ne cherche pas à comprendre ce qu'elle veut. Elle n'est pas longue à agir car alors que je me retourne, elle se saisit de la taille de mon boxer et elle le tire jusque les pieds.

– Nous sommes à égalité maintenant ! Nus tous les deux ! me murmure-t-elle à l'oreille ;

Elle m'embrasse tendrement dans le cou, Elle est couchée sur moi : je sens contre mon dos ses seins et contre mes fesses son ventre. J'apprécie leur douceur en même temps que ses baisers. Elle se relève et la voilà à califourchon sur mon dos. Je sens sa vulve sur ma peau, une vulve douce et tendre légèrement humide sans la moindre pilosité, me semble-t-il. Je ne me lasse pas de ce petit jeu même si j'aurais bien envie de découvrir ces trésors qu'elle me dévoile par le toucher.

Soudain elle me retourne et revient à califourchon sur mon ventre. Enfin je la découvre, superbe dans sa nudité, les bras contre son corps, offrant ses seins au galbe parfait ; Elle voit mon regard émerveillé, ses yeux pétillent de joie et de désir :

– Voilà ce que j'ai à t'offrir. Prends mon corps ; il est à toi.

Je commence à caresser ce corps tellement désirable, je pétris ses seins, m'empare des tétons en les pinçant doucement, elle soupire, ils sont déjà durs ; Je parcours son dos, ses hanches, Son pubis est là même si ses lèvres me restent cachées. Je la prends par les épaules et je l'attire vers moi, nos bouches se rencontrent et nous échangeons un baiser interminable. Je lui murmure combien j'ai attendu ce moment où elle serait nue dans mes bras, que je ne croyais pas à la chance qui m'étonnait donnée qu'une belle femme comme elle se donne à moi. Je la couvre de baisers de plus en plus coquins, sur sa nuque, sur son oreille, suçant le lobe et passant ma langue dans le pavillon. Son corps frissonne de plaisir.

Je me décide à vraiment prendre les choses en mains, je la fais se retourner alors que je suis toujours allongé. Quel dos magnifique avec ses fesses en forme de cœur appuyées sur mon torse, je caresse ses seins, j'appuie sur ses épaules pour qu'elle se penche mais surtout me présente ses derniers trésors qui me restent inconnus : je glisse mes mains sur ses fesses, je les écarte, elle se soulève un peu me permettant enfin de découvrir sa vulve ;

Elle attend que je prenne l'initiative, mes doigts effleurent le pourtour complètement lisse de ces coussinets plus dodus que ceux que j'ai pu admirer jusqu'alors auprès des amies de mon âge, comme c'est doux ! Je suis la tendre fente jusque la paroi qui conduit à l'anus, j'écarte les lèvres : je peux voir enfin s'ouvrir sous mes yeux cette corolle semblable à une fleur où perle la rosée d'amour. L'envie me prend de goûter à cette liqueur qui suinte à l'orée de cette entrée mystérieuse. Elle frémit quand ma langue se glisse sur les tendres parois et se décide enfin à agir. Je savais bien par le souffle que je sentais qu'elle était près de mon sexe, peut-être l'admirait-elle elle aussi, Et c'est un vrai plaisir quand elle dépose un baiser sur mon gland et en profite pour laper la goutte de pré-sperme. Nous nous goûtons simultanément avec une douceur, j'ai compris par son activité qu'elle ne cherchait pas à accélérer les choses et je me plie donc à son rythme.

C'est la première fois que je me prépare à faire jouir une femme et je veux me montrer à la hauteur. Surtout ne pas jouir avant elle ! Je ne pense pas à ses lèvres qui me font un bien fou pour me concentrer sur la vulve qu'elle m'offre. Mes petites copines me laissaient faire, elle, elle se livre à moi : sucer, lécher, passer ma langue dans les plis et la faire pénétrer entre ses douces parois et recommencer. Mes doigts ouvrent la vulve consentante et me dévoilent les chairs roses où perle cette rosée si savoureuse. C'est certainement la meilleure preuve que Je lui donne ce qu'elle attend. D'ailleurs, elle commence à gémir bruyamment :

– Continue ! Suce-moi, suce ma chatte ! J'adore cela. Je vais bientôt jouir ; j'ai imaginé ce moment depuis que nous nous sommes rencontrés.

Je continue à sucer sa chatte, à faire pénétrer ma langue et je vois sa main venir pour frotter son clitoris. Son orgasme arrive et quelques giclées recouvrent ma langue. C'est la première fois que je reçois une telle libation et je me plais à boire à cette source. Son corps tremble et sursaute pendant que j'avale et lèche.

Son orgasme diminue et son corps se calme. J'arrête d'agiter ma langue, je sais que sa vulve est devenue sensible ; je la fais basculer doucement et viens me serrer contre elle tout en la caressant et en l'embrassant dans le cou.

– Il y a si longtemps que je n'ai pas joui. Plus de quatre mois que Rodrigo ne m'a pas touchée. J'attendais tellement ce moment.

Je continue à la caresser et nos bouches se rejoignent, nos langues échangent un baiser fougueux. C'est elle qui le rompt pour m'embrasser dans le cou, puis sur mon thorax ; elle s'y attarde un peu suçant mes tétons puis enfin elle descend, elle se met un peu sur le côté pour que je puisse ses reins et ses fesses.

Elle prend enfin mon pénis entre ses doigts, je sens le souffle chaud de sa bouche qui s'approche puis sa langue qui se pose à la base de mon sexe et qui remonte lentement tout le long. Le contact de ses lèvres mouillées sur la peau sensible de mon gland est divin ; elle commence un va et vient tout en douceur. Il y a tant de talent dans sa façon de faire. Mes doigts ont trouvé sa vulve trempée alors qu'elle enfonce ma verge un peu plus à chaque fois dans sa bouche si accueillante. J'ai mis deux doigts dans sa chatte de plus en plus lubrifiée, ils glissent tout seuls ; elle s'ouvre un peu plus à chaque fois. Je la sens prête et j'ose lui dire :

– Viens, j'ai envie de te prendre !

– Oui, j'en ai envie aussi.

Elle se met sur le dos et écarte ses cuisses me dévoilant sa vulve entrouverte et luisante de cyprine. Je suis à genoux, je rapproche mon sexe tendu du sien et je me guide pour frotter mon gland contre ses lèvres pour la préparer à me recevoir.

– Viens, Hervé ! Je t'en supplie ! Je te veux en moi !

Je pousse mon gland, ses lèvres s'écartent, je me recule un peu et je reviens pour la pénétrer un peu plus et je recommence jusqu'à ce que je sois bien au fond de ce nid accueillant. Elle accompagne mon mouvement, elle se met au diapason de mon rythme, elle noue ses jambes autour de mes reins pour m'attirer en elle plus profond à chacun de mes retours.

– Vas-y ! Baise-moi ! Baise-moi fort !

Mes coups de reins sont de plus en plus forts et elle se met à crier : elle jouit ! J'arrive à contenir mon éjaculation alors que son vagin se contracte autour ma verge. Il s'en faut de peu ; je ne bouge plus, le temps qu'elle se calme. Alors je recommence mes va-et-vient ; je sens sa respiration s'accélérer et son vagin se contracter. Ses cris de plaisir, son corps qui se tend m'amènent à ma propre jouissance. Elle l'a senti et alors que je m'apprête à me retirer, elle me serre pour que j'éjacule en elle :

– Reste ! Je ne risque rien, me souffle-t-elle. Comme c'est bon de sentir ton sperme jaillir en moi !

Nous restons ainsi un petit moment, exténués jusqu'à ce que mon sexe ramollisse et sorte de cette gaine d'amour où j'étais si bien. Nous nous embrassons, nos deux corps ne formant plus qu'un dans un abandon total.

– Tu es belle, tu es magnifique. Je n'aurais jamais imaginé vivre un tel moment.

Elle rit :

– Moi non plus. Je me demandais si je pouvais encore inspirer le désir et surtout si je pouvais encore jouir. Tu as été magnifique et je suis heureuse que tu sois venu en moi, j'avais vraiment envie de m'abandonner, plus rien ne comptait que toi en moi ! Comme c'était bon, serre-moi fort, mon chéri. Je suis si bien !

Moi aussi, je suis bien, serré contre elle. Nous échangeons quelques baisers doux et tendres. Nous sommes comme alanguis, privés de toute volonté : nous récupérons ce cette jouissance inouïe jusqu'à ce qu'elle bouge et se laisse aller sur le dos :

– Que dirais-tu d'aller prendre notre petit déjeuner ? Je suis affamée ; il me faut reprendre des forces. Mais avant, nous avons besoin d'une bonne douche !

Cette douche, nous la prenons ensemble, nous lavant l'un l'autre. Nos mains savonneuses glissent sur nos corps ; plus aucune pudeur entre nous et quand elle s'aperçoit que mon sexe commence à durcir :

– Olala ! Voilà que tu as envie de nouveau ! Mais j'ai besoin de reprendre des forces ; viens, allons manger avant de recommencer !

Chapitre 5

Nous nous séchons rapidement ; je passe mon boxer pour seul vêtement. Elle rentre dans sa chambre et revient couverte d'une nuisette transparente. Je peux l'admirer alors qu'elle prépare notre petit déjeuner, m'ayant forcé à m'asseoir certainement pour me condamner à être sage. Nous mangeons de bon appétit, il n'y a pas à dire, faire l'amour, ça creuse : toasts beurrés et gelée de framboises pour le goût et ses beaux seins aux aréoles apparentes pour la vue : c'est certainement le meilleur petit déjeuner que j'ai pu prendre. Après une dernière tasse de café, elle se lève et débarrasse la table, pour ranger les aliments et mettre la vaisselle dans le lave-vaisselle. Je ne résiste pas ; elle est vraiment trop belle dans sa nuisette qui me laisse voir son dos et ses fesses en transparence, je me lève alors qu'elle est penchée sur l'évier, je l'enlace et dépose un baiser dans son cou.

– Tu es trop belle. J'ai envie de voir tes fesses !

Je soulève le frêle vêtement pour simplement découvrir l'objet de ma convoitise. Elle accepte en riant et lève même les bras pour que je lui retire son vêtement. Elle est nue, me présentant le merveilleux spectacle : je pose mes mains sur ces hémisphères et j'entreprends à les peloter avec vigueur. Elle écarte les jambes ; je passe le tranchant de ma main le long de sa raie et la sens frémir quand je m'arrête sur son entrée étoilée.

– Tu aimes mon cul, petit saligaud !

– Oui, je l'adore. J'ai envie de l'embrasser !

– Il n'y a pas à dire, tu as eu des bonnes initiatrices ! Tu sais ce qui fait plaisir aux femmes !

– Tu es la première avec qui j'ose de tels gestes. C'est toi qui es entrain de tout m'apprendre et surtout qui m'inspires tous ces gestes. Tu es si belle ! Tu te rends compte, toute nue dans ta cuisine ; jamais je n'aurais imaginé cela.

– Dis-moi ! Tu n'as jamais enculé une femme ?

– Bien sûr que non ! Il paraît que ça fait mal !

– Si on se prépare bien, on peut éprouver bien du plaisir. Tu veux essayer ?

– Qui n'aurait pas envie d'essayer ?

Elle se libère et s'échappe :

– Attrape-moi si tu peux !

Elle s'élance dans le couloir qui conduit à sa chambre, elle se jette sur le lit où elle a dormi avec son mari. Les deux empreintes distinctes des corps me prouvent qu'ils ne se sont pas rapprochés cette nuit :

– Prends dans le tiroir la pommade, déshabille-toi et viens me régaler. Tu sais combien j'aime que tu lèches ma chatte, mais tu vas faire plus, tu vas aussi me lécher plus bas, tu vas pousser ta langue entre mes fesses et t'introduire dans mon anus.

Elle est sur le dos, jambes écartées et surélevées par ses mains sous les genoux. Ses deux trous me font face, sa vulve ouverte sur les lèvres rosées et puis ce petit trou brun étoilé fermé. Je n'ai jamais fait cela à une de mes amies, aucune n'ayant jamais osé se mettre dans une telle position. Pour la vulve, oui, j'ai aimé la déguster, sa liqueur indéfinissable que je ne me lasse pas de désirer, savoir qu'elle témoigne du plaisir que je lui donne et qu'elle me laisse profiter d'elle est un enchantement. Quant à lécher son anus, je ne sais pas ce qui m'a pris de lui dire que j'aimerais embrasser ses fesses. Je ne pensais pas que cet acte incluait de m'occuper de son anus et qu'une femme pouvait aimer ça ! Comment pourrais-je lui dire non.

Je ne veux pas lui montrer que j'hésite et la première demande ne me déplait pas. Comme il est bon de lécher ses lèvres et de m'introduire entre elles. Ma langue fait son chemin entre ses parois et les soupirs qu'elle pousse m'invitent à faire plus, une petite recherche et c'est son clitoris qui est sous ma langue, comme il bande bien. J'en avais déjà éprouvé la dureté mais là, j'ai l'impression qu'il a encore grandi et surtout ses gestes réflexes se font désordonnés, tantôt elle le colle contre ma langue tantôt on dirait qu'elle veut m'échapper.

– Descends sur mon périnée ! ET va entre mes fesses ! me souffle-t-elle.

J'obéis et me voilà à l'orée de ce petit trou étoilé. Elle me rassure :

– Lèche mon cul ! Il est tout propre après la douche que nous avons prise !

J'y dépose la pointe de ma langue : je sens son corps se contracter. Je n'imaginais pas qu'une telle caresse puisse exister et qu'une femme aimerait cela. Je goûte à cette entrée : rien à voir avec l'odeur de sa chatte, un petit goût épicé et savoureux me ravit. Je n'hésite plus, j'enfonce ma langue et si je la sors, c'est pour retourner à sa chatte me délecter du nectar qui s'en écoule. Ma langue court de sa chatte à son anus, lui procurant en chemin de douces caresses sur son périnée.

– Oh oui ! C'est bon ! gémit-elle. Lèche-le plus fort ! J'adore cela ! Mais tu peux arrêter maintenant ! J'ai envie que tu m'encules ! Mets-moi de la pommade ! Elargis doucement mon entrée avec tes doigts.

De son côté, elle me met de la pommade sur la queue et la présente à son entrée annale : c'est elle qui me guide jusqu'à ce que son sphincter cède et que mon gland passe cet obstacle serré. Je la vois grimacer :

– Je te fais mal ?

– Oui, un peu ! Mais ça va vite passer ! Enfonce-toi lentement !

J'éprouve un sentiment incroyable : son cul est bien plus serré que sa chatte ; je force à nouveau et je vois ma bite qui disparaît peu à peu jusqu'à être engloutie entièrement dans son rectum.

Estelle gémit d'extase de me sentir en elle. Elle sait l'emprise que subit ma bite prise dans l'étau à tel point que je ne cherche pas à bouger. A choisir, je préfère la douceur des parois de sa vulve, pourtant quand elle me fait comprendre qu'elle attend de je bouge, je commence à me déplacer en elle : c'est incroyable de sentir à quel point le cul de mon amante s'agrippe à ma dureté. Je vais d'abord lentement et à mesure que les sphincters s'assouplissent, je peux bouger avec plus d'aisance ;

– Oh oui, Hervé, mon chéri, comme ta bite me fait du bien ! Vas-y plus franchement ! Baise-moi bien ! Vas-y plus fort !

Même si je sens bien que je ne vais plus durer longtemps, j'exauce ses souhaits ; j'accélère mes mouvements et elle me rend coup pour coup. Nous ne pouvons-nous empêcher de crier notre plaisir :

– Tu es si serrée ; je vais jouir !

– Oui, remplis-moi toute ! Envoie-moi ton foutre dans le cul ! J'ai envie de sentir ta bite frémir en moi quand tu vas éjaculer !

Je ne contrôle plus rien ; ses mots ont un effet immédiat et je la remplis de jets puissants ; ses sphincters accompagnent les soubresauts de ma tige en elle comme si elle voulait m'aider à extraire le plus possible de mon sperme. C'est suintant de sueur et essoufflés que nous nous laissons aller l'un contre l'autre. Je l'embrasse sur la bouche en un élan spontané, elle me répond avec la même fougue. Mon sexe est toujours en elle-même s'il n'a plus la même vigueur ; je la sens contracter ses muscles intimes : aimerait-elle que je reste en elle, dans cet endroit si étroit, mais rien n'y fait, mon sexe perd sa vigueur et s'échappe accompagner du sperme qui commence à s'écouler.

Je me laisse aller sur le côté pour ne plus l'écraser de mon poids, nous nous regardons et nous sourions :

– Il y a longtemps que je n'avais pas eu une si bonne baise. Rodrigo n'aime pas trop, moi, j'adore cela ! Tu as bien assuré pour une première fois ; j'ai hâte que nous recommencions un jour, mon jeune amant. Mais pour aujourd'hui, il va nous falloir retrouver une attitude convenable pour aller retrouver mon mari à son tournoi.

– Qu'est-ce que je vais faire tout seul au milieu de ces gens que je ne connais pas ?

– Je ne t'ai pas dit mais je vais te présenter ma jeune nièce, la fille de mon frère. Elle a ton âge ; elle est très jolie et je pense que tu ne t'ennuieras pas avec elle, pendant que nous participerons aux cérémonies officielles. Comme je ne peux pas avoir d'enfant, c'est un peu ma fille et elle vient souvent me raconter ses petites histoires de cœur. Vous devriez bien vous entendre.

Nous nous sommes bien entendus, Mais cela est une autre histoire.

FIN.

Noël d'Entreprise et Rencontre

"Noël d'Entreprise et Rencontre Inattendue : Marcel et Matilda Liés par une Soirée Isolée"

Marcel, un retraité de la SNCF, travaille pour Matilda et Laurent, un jeune couple dirigeant une entreprise. Engagé par Laurent pour effectuer des travaux paysagers, Marcel est invité à la fête de Noël organisée par le couple pour leurs employés. Mauricette, l'épouse de Marcel, refuse l'invitation. Lors de la fête, Marcel rencontre Matilda et les deux seuls isolés s'entendent bien.

Chapitre 1

La réputation de Marcel n'est plus à faire. Après une carrière bien remplie à la SNCF, il a pu partir à la retraite à 55 ans. Lui, c'est un manuel qui aime s'occuper de son jardin et qui ne rechigne pas devant l'ouvrage. Pendant son activité, déjà, il faisait divers petits travaux pour les voisins ou les gens du village. Mauricette, son épouse, secrétaire dans une entreprise continue à travailler. La retraite, elle la prendra à 60 ans, si d'ici là, une réforme n'est pas venue allonger le temps de cotisations.

Dernièrement, il a été contacté par un jeune chef d'entreprise qui a repris l'affaire familiale. Laurent Gentil, fils de Pierre Gentil, s'inscrit dans la lignée d'une famille de chefs d'entreprise qui se sont refilé cette usine de carrelage depuis des générations. A 25 ans, après des études brillantes, il est donc à la tête de cette entreprise ; il a épousé l'année dernière une amie d'enfance, issue elle aussi de la bonne société. Ils avaient l'habitude de se retrouver lors de repas entre amis ; ils faisaient partie des mouvements de jeunes catholiques et les parents avaient vu d'un bon œil le rapprochement de leurs enfants uniques, sérieux, élevés dans les bonnes traditions bourgeoises. Le mariage avait eu lieu un an plus tôt, quand Pierre Gentil avait cédé la place à son fils, sa santé ne lui permettant plus de travailler.

Sur les conseils de sa tante qui connaissait Marcel depuis sa jeunesse assez tumultueuse et qui savait qu'il recherchait des menus travaux pour arrondir sa retraite et surtout occuper son temps, , Laurent lui a demandé s'il pouvait s'occuper des parterres et des abords des bâtiments où l'accueil se fait pour les clients. Jusqu'alors, de tels travaux, Marcel les faisait au noir. Il n'en était pas question pour une entreprise bien gérée. Renseignements pris, il lui était possible d'avoir une activité rémunérée à condition que ça ne dépasse pas un certain nombre d'heures. Marcel avait accepté et à la fin de l'été, il avait intégré l'entreprise.

Maintenant nous sommes en décembre ; il y a moins de travail à effectuer et Marcel ne passe à l'usine que peu souvent. Il y a quelques jours, Laurent l'a invité au repas que le patron offre à ses employés pour les fêtes de Noël. Marcel a d'abord refusé l'invitation : il n'y a pas longtemps qu'il est employé, il ne connaît pas beaucoup de monde, et puis surtout il n'est pas très à l'aise dans ce genre de cérémonie. Mais le patron a insisté et il a finalement accepté. Mauricette, elle, a tout simplement dit non. C'est vrai que lui n'a jamais voulu assister à quelque festivité que ce soit quand il s'agit de son entreprise. Pourquoi se forcerait-elle ?

Il fait doux pour la saison ; c'est ce qu'il se dits alors qu'il quitte sa voiture pour se diriger vers la salle des fêtes où vont se dérouler les festivités de Noël. Il n'est pas très à l'aise. Laurent Gentil est à l'entrée pour accueillir les employés qui viennent, pour beaucoup, accompagnés de leurs conjoints. Lui-même est accompagné de sa jeune épouse qui le seconde pour saluer les invités. Marcel la voit pour la première fois : une belle jeune femme, habillée avec élégance : une belle robe qui épouse ses jolies formes. Le patron, il n'y a pas à dire, a bon goût ; il faut dire qu'il n'est pas mal de sa personne. Un joli petit couple !

– Tiens, voilà Marcel, s'exclame-t-il ! C'est le jardinier que m'a conseillé Tante Germaine ! Il a déjà fait du bon travail dans la cour où l'on accueille les clients.

Elle le salue comme elle le fait pour chacun et dès qu'il s'est éloigné pour rejoindre les autres, elle se tourne vers son mari :

– C'est lui dont ta tante a dit qu'il fallait que tes secrétaires devraient se méfier ? Il n'a pourtant rien d'un Don Juan !

– Il faut se méfier de l'eau qui dort ! répond-il en riant. Je crois que ma tante l'a un peu connu dans sa jeunesse. Et puis elle est amie de Rose-Marie Carpentier, la femme du vétérinaire !

– Et alors ?

– J'ai entendu dire qu'ils avaient eu une petite aventure, si tu vois ce que je veux dire ?

– Dans sa jeunesse ?

– Non ! Récemment, depuis qu'il est à la retraite.

– Mais elle n'est plus très jeune !

– J'ai eu la même réaction quand ma tante me l'a dit. Elle m'a dit que c'était dans les vieux pots que l'on faisait la meilleure soupe ! Et que s'il n'avait pas perdu la main, Rose-Marie n'avait pas dû s'ennuyer !

– Eh bien je ne connaissais pas ta tante sous ce jour-là.

La conversation s'arrête là car de nouveaux invités arrivent. Laurent continue à faire les présentations à sa jeune épouse qui ne connait que les employés de l'administratif qui travaillent avec son mari.

Pendant ce temps, Marcel s'est dirigé vers la salle. Il connaît bien quelques personnes mais pas assez pour se joindre à leurs conversations. Certains viennent le saluer puis s'éclipsent pour rejoindre leurs collègues. Il a hâte que le patron fasse son petit discours : il pense bien filer à l'anglaise dès qu'il le pourra. Enfin, ce moment tant attendu arrive avec les lieux communs qui peuvent être dits dans ces cas-là : la santé de l'entreprise dépend de la bonne entente entre tous et son père lui laisse une entreprise qui fonctionne bien. Bien sûr, il annonce que chacun recevra une prime à l'occasion de Noël, comme il est de tradition. Il invite ensuite tout le monde à se rapprocher du buffet et souhaite une bonne soirée. Il va ensuite de groupe en groupe pour parler avec les uns et les autres. Je vois sa jeune épouse qui, après l'avoir suivi un peu, se dirige vers moi où je suis seul.

– Je vais prendre une coupe de champagne, vous voulez bien m'accompagner ? Je vois que vous êtes aussi seul que moi.

– Vous n'accompagnez plus votre mari ?

– Non, je me sens vraiment de trop quand il échange avec ses employés : s'ils parlent travail, je n'y connais rien et s'il lui arrive de parler de leur famille, c'est encore pire ! Je connais un peu les secrétaires mais je me sens exclue, je dirais même un peu jalousée. Certaines auraient bien voulu séduire mon mari.

Elle rit en disant cela.

– Et c'est vous qu'il a choisie !

– C'est vrai, mais en réalité, je crois que l'on s'aime depuis notre plus tendre enfance. Nos parents étaient amis et se voyaient souvent. Nous sommes même parfois partis en vacances ensemble. Je n'ai eu que lui comme amoureux.

– Un long temps de fiançailles en quelque sorte !

– Oui, mais en restant très sages, l'un et l'autre ! Nous avions des principes. Mais pourquoi je vous dis cela ?

– Peut-être parce que c'est si rare à notre époque et que les jeunes n'ont plus à se cacher.

– Vous avez sans doute raison. Mais si vous voulez bien, on va parler d'autre chose. Votre femme ne vous a pas accompagné ? Elle était invitée pourtant.

– Ma femme est comme moi, elle n'aime pas trop ce genre de manifestations surtout quand elle ne connaît personne ! Donc, elle n'a pas voulu venir ; elle a une bonne excuse, moi, je n'ai jamais participé quand c'est dans son entreprise.

– Vous ne vous sentez pas à l'aise aujourd'hui ?

– Maintenant que vous me tenez compagnie, je ne dirais plus cela.

– Moi non plus ! Si vous me parliez un peu de vous ?

– Pas beaucoup de choses intéressantes dans ma vie, vous savez ! Pendant de nombreuses années, boulot, dodo ! Il n'y a pas le métro dans notre région.

– Racontez quand même ! Moi ça m'intéresse.

Alors in se raconte, son métier qu'il a aimé exercer même s'il ne le regrette pas maintenant qu'il est à la retraite. Il raconte aussi sa rencontre avec Mauricette, un bonheur tout simple, sans enfants, ce dont sa femme a souffert. Ils n'ont jamais cherché à savoir qui était responsable. La vie, c'est comme ça. Ce serait maintenant peut-être qu'ils chercheraient.

Elle se raconte aussi, prenant confiance devant la sincérité de cet homme de 30 ans son aîné. Son enfance dorée avec des parents aimants mais assez rigoureux par leur vie chrétienne. Ses études dans les meilleures écoles catholiques bien sûr. Laurent a suivi le même parcours. C'est naturellement qu'ils sont devenus amis puis amoureux, mais comme elle l'avait dit, dans le respect des liens sacrés des fiançailles puis du mariage.

Marcel ne résiste pas :

– Même pas de petits bisous et de petites caresses ?

– Des petits bisous, oui mais non pas de caresses ! Vous n'y pensez pas ?

– Mais si j'y pensais, réponds-je en riant. Il semble que l'on était plus délurés quand j'étais jeune !

– C'est ce que j'ai cru comprendre quand la tante de mon mari nous a parlé de vous.

– Votre tante ?

– Oui, ma tante Germaine ! Vous la connaissez ?

– Oui bien sûr, elle a quelques années de plus que moi. Et nous nous sommes connus quand nous étions jeunes. J'espère qu'elle ne vous pas dit trop de mal de moi ?

– Non ! Elle a quand même dit à mon mari de se méfier de vous si vous trainiez un peu trop du côté des secrétaires, ajoute-t-elle en riant.

– Oh la chipie ! Je n'en dirai pas plus ! Mais ça veut dire qu'elle n'a pas oublié.

– Que voulez-vous dire ?

– Rien, jeune femme, que vous deviez savoir ! répond-il en riant.

Durant cette conversation, ils sont allés plusieurs fois se servir au buffet, ils ont bu quelques coupes de champagne et Matilda a les yeux qui brillent.

– La jeune femme a envie de savoir !

– Peut-être un jour, lui dit-il malicieusement. Je ne sais si vous êtes prête à entendre certaines choses qui ne sont pas dans les traditions de votre éducation.

– Effectivement, le lieu n'est pas très indiqué. Mais, pourquoi à certains moments la jeune femme n'aurait pas envie de s'affranchir de son éducation. Le champagne doit y être pour quelque chose. Tiens, mon mari qui se dirige vers nous.

– Voudrais-tu m'accorder cette danse ?

– Bien sûr ! Tu te souviens que j'existe.

– Ne dis pas de bêtises. Tu sais bien que je me dois aux employés.

– Allons danser et je crois que je quitterai cette soirée pour me rendre à l'hôtel. Je suis fatiguée !

Marcel a saisi ces mots alors qu'ils s'éloignaient pour danser étroitement enlacés. Quand ils reviennent, Marcel se lève :

– Si vous le permettez, Monsieur Carpentier, je vais me retirer. Je vous remercie pour votre invitation.

– Vous partez déjà ?

– Oui, vous savez, je ne connais pas beaucoup de gens et si votre épouse ne m'avait pas tenu compagnie, il y a longtemps que je vous aurais quitté pour retrouver mon épouse.

– C'est comme vous voulez. Puis-je me permettre de vous demander un service ? Pourriez-vous déposer mon épouse à l'hôtel où nous avons retenu des chambres. J'allais appeler un taxi ; tu es d'accord, Chérie ?

– Si cela ne dérange pas Marcel de faire un détour. L'hôtel n'est peut-être pas sur sa route.

Il se trouve que l'hôtel n'est pas vraiment sur sa route, mais Marcel dit que ça ne le dérange pas. Il salue son patron et ils se dirigent vers le vestiaire.

– Ne te couche pas trop tard, lui dit-elle en l'embrassant.

– Non, pas de soucis ! De toute façon, nous avons chacun notre chambre pour que je ne te réveille pas. Dors bien !

Chapitre 2

Il ne faut pas longtemps pour qu'ils arrivent à l'hôtel grand standing où elle va aller dormir.

– Vous savez, Marcel, je n'ai pas vraiment sommeil. Accepteriez-vous de venir prendre une coupe avec moi et de continuer notre conversation.

– Quelle conversation ?

– Celle où une jeune femme a envie de s'affranchir de son éducation. Plus personne ne pourra nous déranger dans vos confidences sur ma tante Germaine.

– Mais vous êtes une petite curieuse.

– Allons, vous acceptez ou pas ?

Pourquoi lui refuser ce plaisir ? Et puis boire une dernière coupe de champagne dans une chambre de cet hôtel prestigieux en compagnie d'une belle jeune femme n'est pas pour lui déplaire. Dans la voiture, il a pu admirer ses jambes et un peu de ses cuisses dévoilées par la robe légèrement remontée. Un beau brin de fille qu'il aurait bien draguée si ce n'était la femme de son patron et surtout s'il avait eu 20 à 30 ans de moins.

A la réception, elle a demandé qu'on leur apporte une bouteille de champagne et ils ont pris l'ascenseur qui les a menés au troisième étage puis à la chambre où elle avait déposé ses affaires dans l'après-midi. Marcel est émerveillé par le luxe qui se dégage de cette chambre. Ce que l'on voit tout de suite c'est un petit salon meublé de deux fauteuils et d'une table basse. Puis sur la droite un grand lit où elle a dû se reposer car il est déjà défait. Il ne doit pas avoir un gramme de poussière qui aurait pu échapper à la vigilance des femmes de ménage qui ont préparé la pièce. Il est dans un autre monde que ce à quoi il est habitué et il se sent un peu gauche. Si Matilda le remarque, elle n'en fait pas mention et elle lui dit simplement de se mettre à l'aise et de s'asseoir au salon, le temps que le champagne arrive.

Elle joue la maîtresse de maison, c'est elle qui sert les coupes avant de s'asseoir elle-même dans son fauteuil. Elle lève son verre et lui dit simplement :

– A notre rencontre ! J'ai hâte de connaître les petits secrets de notre tante !

– Oh vous savez, rien de vraiment original ! J'ai connu Germaine alors que je finissais mes études au lycée. J'avais été invité par un ami qui fêtait l'obtention de son bac. Elle aussi. C'était l'époque des surboums et on buvait pas mal et on dansait beaucoup. Je me demande encore ce qu'elle faisait là ; on n'était pas du même monde ! Toujours est-il que c'est elle qui m'invita à danser, j'étais un peu intimidé mais l'alcool aidant, je l'ai serrée d'un peu près et elle ne m'a pas repoussé. J'ai compris que j'avais un ticket avec elle, alors j'ai collé ma joue contre la sienne, je l'ai embrassée en faisant courir mes mains sur ses épaules. Elle s'est serrée contre moi, alors j'ai cherché sa bouche et j'ai déplacé une main sur son sein.

– Arrête, m'a-t-elle dit pas ici ! Tout à l'heure dans ma voiture !

– Eh bien, ça allait vite à votre époque, me dit Matilda.

– On peut dire cela. Ce qui m'étonne, c'est que vous ne vous soyez jamais accordé quelques écarts au temps de vos fiançailles, selon ce que vous m'avez dit tout à l'heure.

– Quelques baisers, mais rien de plus. Nous avons des principes. Je voulais lui offrir ma virginité le jour de notre mariage.

– On peut offrir sa virginité le jour de son mariage et s'être accordé des petits plaisirs en attendant.

– Que voulez-vous dire ?

– Des baisers, des caresses ! Ne me dites pas que votre mari n'a jamais caressé vos seins ni vos cuisses durant ce long temps de fiançailles. N'avez-vous jamais eu envie de caresser son sexe quand il vous embrassait et que vous sentiez son érection contre votre ventre.

– Non jamais ! Nous nous étions promis de nous respecter jusqu'à notre mariage. Et nous l'avons fait.

– Eh bien ! Je n'aurais jamais imaginé cela. Voulez-vous que je vous raconte la suite ?

– Bien sûr, je vais d'abord remplir nos verres et vous pourrez continuer. Que s'est-il passé dans la voiture.

– Nous avons vite quitté la soirée et elle nous a trouvé un endroit tranquille. Elle semblait avoir une certaine habitude. C'est sur la banquette arrière que nous nous sommes installés et nous avons repris nos baisers et nos caresses. Nous nous sommes vite retrouvés nus. J'ai pu l'embrasser sur tout le corps. Nous ne pouvions avoir de relations sexuelles complètes : pas question que la fille se retrouve enceinte, à l'époque on ne badinait avec ça. Alors, Germaine m'a fait découvrir bien des façons de nous faire plaisir.

– Je ne comprends pas ce que voulez dire.

– Vous ne faites pas l'amour avec votre mari.

– Si bien sûr ! Nous nous embrassons, il caresse mes seins et les embrasse puis il vient en moi.

– C'est tout ?

– Comment ça, c'est tout ?

– Eh bien oui, il ne vous embrasse pas sur tout le corps ? Vous ne caressez pas sa verge ? Vous ne vous embrassez pas plus intimement ?

– Je crois que je sais ce que vous voulez dire. Des amies m'ont déjà parlé de cela et du plaisir qu'elles prenaient à embrasser le sexe de leur mari ou même à recevoir des baisers sur le leur. Mais nous ne l'avons jamais fait. Après les confidences d'une de mes amies, j'ai voulu approcher ma bouche du sexe de Laurent, mais il m'a repoussée et je n'ai plus essayé. C'est ce que vous faisait ma tante ? Et vous le faisiez aussi pour elle ?

– Bien sûr ! Quel plaisir d'embrasser le sexe d'une femme et de la mener à jouir. Votre tante me l'a fait découvrir et nous nous sommes retrouvés de nombreuses fois pour assouvir les désirs que nous avions l'un de l'autre. Je crois bien que j'aimais votre tante. Mais nous n'étions pas faits pour mener notre vie ensemble. Elle a fini par se marier avec un homme qui pouvait lui apporter un confort qu'un agent SNCF n'aurait jamais pu lui offrir.

– Vous rendez compte que vous auriez été mon oncle, dit-elle en riant. Ça s'arrose !

Et ils boivent leur troisième coupe de champagne. Elle a les yeux qui brillent ; le champagne y est pour quelque chose mais pas que...

Chapitre 3

Car, en rougissant, elle dit à Marcel :

– Marcel, voudriez-vous me rendre un service ? J'aimerais découvrir cette caresse que mon mari me refuse. Accepteriez-vous de me lécher comme vous l'avez fait à ma tante ?

Marcel reste bouche bée. La demande le prend au dépourvu. Il hésite.

– Si vous ne voulez pas, ce n'est pas grave.

– Oh si, je peux vous rendre service comme vous dites. Mais vous êtes si belle, vous êtes si jeune. Et moi, si vieux !

– Mon mari m'a dit au sujet d'une femme assez vieille qui trompait son mari que c'était dans les vieux pots que l'on faisait la meilleure soupe. Je pense qu'il voulait dire par là que l'expérience est un atout qui ne peut être négligé. J'ai envie de connaître ce plaisir avec vous.

– Pour ne pas vous mentir, dans la voiture, j'ai aimé regarder vos jambes. Et je me suis dit que si j'étais plus jeune, je vous aurais fait du gringue. Voulez-vous remonter votre robe pour que je voie les trésors qu'elle me cache.

Elle se lève et remonte sa robe, dévoilant ses belles cuisses et sa culotte blanche, une culotte sage qui couvre son sexe et son ventre. Rien de sexy à proprement parler dans la tenue, si ce n'est que Marcel se souvient du temps de sa jeunesse et des premières fois où il avait soulevé la jupe de certaines de ses petites amies et du plaisir qu'il y avait pris. Que vous êtes belle. Oui, je vais vous faire découvrir ce qu'est un cunniculus. Pour cela il va falloir retirer votre culotte.

– J'aimerais que ce soit vous qui me la retiriez. Voulez-vous que nous allions sur le lit ?

– Pas tout de suite !

Marcel se lève de son fauteuil et s'agenouille entre les jambes. Il dépose quelques baisers sur le haut de ses cuisses.

– Comme votre peau est douce !

Ses mains s'emparent de ses jambes qu'il caresse, remontant peu à peu vers ses genoux puis sur ses cuisses qu'il écarte. Il prend son temps. Ses baisers suivent le même chemin que ses mains jusqu'à toucher le tissu protecteur. Elle gémit attendant sans doute qu'il passe sur son sexe, mais il se relève :

– Levez-vous. Je vous veux nue.

Il lui retire sa robe, dégrafe le soutien-gorge qu'il laisse tomber par terre, puis s'agenouille à nouveau pour faire glisse sa culotte. Il aurait dû s'y attendre, un grand buisson noir qui couvre son sexe. Lui qui est habitué au sexe nu de sa femme n'en revient pas. Il pense à Germaine qui elle non plus ne prenait pas beaucoup de soin de cette chevelure naturelle. Il la prend dans ses bras et la porte sur le lit. Allongée, elle est absolument ravissante.

Il hésite à la caresser sur tout son corps et à profiter de ses petits seins gros comme des oranges mais dont les pointes sont dressées. Ce n'est pas ce qu'elle lui a demandé : il écarte les cuisses blanches et à travers les cheveux épais il découvre les lèvres de sa chatte entrouvertes et humides. Il prend son temps, il mordille et lèche sa jambe droite jusqu'à atteindre le haut de sa cuisse, elle gémit à nouveau mais il passe à l'autre jambe. Quand il atteint le haut et qu'il l'entend gémir, comme si elle implorait qu'il aille plus loin, il frotte légèrement la touffe avec sa langue en augmentant progressivement la pression, se frayant un chemin pour atteindre les lèvres de sa chatte. Il passe la langue le long à l'intérieur de ses lèvres jusqu'à son clitoris. Elle pousse un long soupir quand il en fait le tour avec la pointe de sa langue.

Il la sent se presser contre sa bouche mais il veut prendre son temps. Il fait courir sa langue de haut en bas à l'intérieur des lèvres de sa chatte avec des coups plus doux sur son clitoris. Elle miaule maintenant et sa chatte dégouline. Il aime ce jus parfumé et goûteux, il va plus bas et lèche la peau à la base de ses lèvres, puis plus bas jusqu'à trouver le petit trou. Elle est surprise, prête, semble-t-il, à lui refuser l'accès mais elle laisse faire. Alors, il fait de sa langue une petite pointe et s'introduit dans l'étroit conduit. Et elle a gémi, et il a doucement baisé cette entrée qu'elle croyait interdite.

Puis sa langue est remontée sur sa chatte et est allée profondément entre ses lèvres. Sa chatte dégouline, il lape goulûment, déclenchant en elle des spasmes qu'elle ne contrôle pas. Il sait qu'elle est proche, il retourne sur son clitoris gonflé et dressé ; il le prend entre ses lèvres et le suce jusqu'à ce qu'elle s'arcboute et jouisse bruyamment.

Elle est déchaînée.

– Marcel, j'ai envie de vous en moi ! S'il vous plait, j'ai trop envie de vous sentir en moi !

Marcel est toujours habillé mais il a tôt fait de se retrouver nu. Bien sûr qu'il a envie, comme elle, de la posséder. Pourtant rien ne presse. Il écarte les jambes de la jeune femme comme s'il allait la pénétrer mais, alors que sa bite est proche de l'entrée, il saisit une des mains d'Matilda et la pose sur son sexe pour qu'elle le caresse. Elle referme ses doigts sur la tige bouillante et entreprend de la masturber sous sa directive. Puis il la laisse s'occuper de lui. Les gestes sont mal assurés. Il se demande si elle a déjà fait cela à son mari. De sa main, il couvre la sienne pour imprimer le mouvement qu'il souhait, puis la force à diriger le gland sur son clitoris

– Vous aimez cela de vous faire plaisir avec ma bite ? C'est quand même mieux que d'utiliser vos doigts.

Elle ne dit rien. Elle a enregistré inconsciemment ses paroles sans comprendre vraiment ce qu'il a dit. Oui, c'est bon, ce qu'il lui fait faire mais ce n'est pas ce qu'elle veut :

– S'il vous plait, Marcel, mettez-la-moi !

– Que voulez-vous que je vous mette ?

– Vous le savez bien !

– Alors dites-le que vous voulez ma bite dans votre chatte, ou préférez-vous ma queue dans votre con !

– Je n'ai jamais dit de tels mots.

– Pourtant c'est ce que vous fait votre mari.

– Oui, mais...

– Allez ! dites-le !

– Mettez votre bite dans ma chatte ! J'en ai envie

Marcel ne la fait pas languir plus longtemps. Il glisse doucement son gland dans la chatte consentante. Comme elle est chaude, humide, une merveille qui l'accueille. Il se pousse profondément en elle à chaque coup jusqu'à ce que sa bite soit enfouie jusqu'à la garde dans son vagin. Elle halète doucement, il se penche sur ses beaux petits seins, et les lèche jusqu'à ce qu'il s'empare de son mamelon. Il le suce, il le lèche, il le mord quand il est dur.

Elle gémit et halète tandis qu'il s'enfonce régulièrement en elle. Il la regarde : son visage est si jeune, ses yeux bleus sont magnifiques, exprimant l'intensité de son plaisir, ses lèvres pleines l'attirent. Il s'en empare et elle répond avec passion ; leur ardeur augmente alors que leur baiser se fait plus vorace. Ils baisent à l'unisson, comme des bêtes. Sa bite est prête à éclater et martèle sa chatte dégoulinante. Leurs respirations sont de plus en plus rapides, elle gémit de plus en plus fort et tout à coup son corps tremble. L'orgasme déchire son corps, sa chatte serrant sa bite comme un étau à chaque fois qu'une vague la submerge. Il n'aurait jamais imaginé que cette frêle femme puisse jouir si intensément. Il sent monter en lui son propre orgasme tandis qu'il la baise comme un fou. Enfin un énorme jet éclate dans son con et l'inonde. Leurs bouches se rejoignent et alors que sa bite fond dans sa chatte, leurs lèvres échangent un long baiser qui les unit comme s'ils ne faisaient plus qu'un.

Chapitre 4

Leur baiser s'éternise, amoureusement. Marcel est heureux de tenir dans ses bras le corps de cette jeune femme qui aurait pu être se fille. Quant à Matilda, elle vient de découvrir une jouissance qu'elle ne soupçonnait pas dans ses rêves les plus fous ; ses amies lui en avaient parlé mais elle n'avait rien découvert de tout cela dans les bras de Laurent. Elle était reconnaissante à ce quinquagénaire qui venait de lui faire vivre des instants merveilleux, la faisant jouir plusieurs fois.

– Merci, Marcel. Lui dit-elle.

– C'est plutôt moi qui devrais vous remercier. Vous m'avez fait rajeunir de 30 ans.

– Quand vous sortiez avec Germaine ?

– Non, ça, c'était, il a quarante ans ! Je n'ai jamais fait l'amour à Germaine, comme nous l'avons fait. La pilule n'existait pas. Il fallait faire attention à ne pas rendre enceinte notre partenaire. On utilisait d'autres méthodes.

– Que vous faisait Germaine ?

– Elle me rendait ce que je lui avais fait.

– Cela veut dire qu'elle suçait votre sexe ? Ce que je voulais faire à mon mari et qu'il n'a pas voulu.

Elle se tait ; va-t-elle continuer ses confidences ? Non, sa question laisse Marcel pantois.

– Vous accepteriez que je vous suce ? J'aimerais essayer ce que je n'ai jamais fait car Laurent me refuse ce plaisir.

– Que voulez-vous sucer ?

– Votre sexe. Dit-elle doucement.

– Vous n'avez pas d'autres mots plus appropriés ?

– Celui que vous m'avez fait dire tout à l'heure ?

– Oui, et bien d'autres : une bite, une queue, et que sais-je ?

– Voulez-vous que je suce votre queue, Marcel, s'il vous plait. Oui j'ai envie de votre bite dans ma bouche.

Le ton employé de petite fille sage n'a rien à voir avec les mots employés.

– Si c'est ce que vous voulez, allez-y, sucez ma bite, j'adore ça.

Elle tire le drap qui les recouvre et, sans hésiter, elle penche sa tête vers son sexe qui se tient raide. Ses lèvres mordillent le bout avec une certaine timidité, puis elle passe sa langue autour de la tête comme elle pourrait le faire d'une glace et s'aventure tout le long de son fût.

– Est-ce que ça va ?

– Absolument merveilleux, n'arrêtez pas !

Elle saisit son membre et ses lèvres se referment sur le bout turgescent, sa langue léchant en cercle le pourtour de la tête. Ensuite, elle prend la tête entière dans sa bouche et la suce doucement. Elle prend son temps, elle fait de sa bouche humide un doux écrin. Elle s'enhardit et peu à peu elle prend le membre plus profondément. Commencent alors des va et vient, sa tête montant et descendant sur la tige dressée, de plus en plus profondément dans sa bouche jusqu'à la limite du haut le cœur. Elle expérimente et elle s'y prend bien, pense Marcel tout en caressant sa tête, cependant le plaisir qu'il prend à se faire sucer par cette jeune bouche tout inexpérimentée qu'elle soit le mène vers l'éjaculation et il ne veut pas venir si vite.

– Arrêtez-vous, s'il vous plait.

Elle s'arrête et le regarde :

– Pourquoi ? Je ne le fais pas bien ?

– Oh si, vous le faites très bien, trop bien ! Si ce n'était que votre tante par alliance, je dirais que vous avez hérité des dons de Germaine. J'ai peur de venir trop vite.

– Comment cela ?

– J'ai peur d'éjaculer trop vite et ce serait dans votre bouche !

– Vous avez raison, je ne suis pas prête à accepter cela, surtout venant de vous. C'est peut-être un geste d'amour que je voudrais offrir à mon mari s'il le voulait bien.

– C'est ce que je me disais. Nous pouvons poursuivre mais prenons notre temps et profitons de ce moment. Nous pouvons nous faire plaisir l'un à l'autre. Avez-vous déjà entendu parler du soixante-neuf ?

– Non, que voulez-vous dire ?

– Soixante-neuf peut faire penser à la position que prennent l'homme et la femme. Année 69, année érotique, chantait Gainsbourg.

– J'ai compris, Vous me sucez le sexe pendant que je suce le vôtre ?

– Oui, c'est ça mais avec les mots appropriés.

– Vous allez me lécher la chatte pendant que je sucerai votre queue.

Marcel la fait s'allonger sur le lit, jambes bien écartées, il profite de la vue de cette belle femme qui s'offre à lui, attiré par cette belle touffe noire qui cache son sexe. Il se positionne au-dessus d'elle, genoux placés de chaque côté de sa tête ; il sépare les poils pour dévoiler ses lèvres dodues qu'il caresse doucement de ses doigts, il passe son doigts le long de la fente, appréciant l'humidité qui commence à sourdre. Il baisse la tête et sa langue rencontre les chairs si douces.

Elle gémit doucement et prend sa bite dans sa main et la porte à ses lèvres. Sa langue glisse le long du fût et descend sur ses bourses, elle découvre sous ses baisers les balles bien dures de son amant, en prend même une dans sa bouche.

Marcel est aux anges et honore le con de sa partenaire en rentrant sa langue le plus loin possible entre ses parois. Il goûte, ce qui n'est pas pour lui déplaire, la liqueur qui s'écoule mélangée aux résidus de sperme dont il l'a abreuvée peu de temps auparavant. Elle lape, suce, lèche avec de plus en plus d'ardeur. De son côté, Marcel introduit un doigt puis deux dans les profondeurs humides de son con, caresse son clitoris.

Il sent à nouveau monter en lui le plaisir ; il l'avertit que la décharge est imminente et il se laisse couler à côté d'elle sur le lit.

– Voulez-vous revenir en moi ? J'ai envie de votre bite dans ma chatte pour que vous puissiez y jouir. Vous voulez bien ?

– C'est bien ! Enfin, les mots qu'il faut ! J'ai envie de vous prendre en levrette. Mettez-vous à quatre pattes !

Elle s'exécute. La voilà dans la position qu'elle n'imaginait jamais prendre, prête comme une chienne qui attend le mâle, le caractère bestial lui plait, Marcel va pouvoir s'en donner à cœur joie et elle va le recevoir comme une femelle soumise assoiffée de sexe lui dévoilant ses belles fesses pendant qu'il le besognera. Avant d'investir la place, Marcel fait aller et venir son gland le long de ses lèvres mouillées, remonte jusqu'à s'introduire entre les globes et à s'appuyer contre son anus sans insister cependant.

Il revient vite pour pénétrer enfin ses tendres parois. Il va bien plus loin que tout à l'heure, elle réalise que jamais elle n'a été aussi bien remplie et que les aller et retours de son amant de plus en plus violents vont l'amener à un nouvel orgasme. Il a saisi ses seins et les agrippe, les malmène au rythme de ses mouvements, elle a mal mais elle aime ça, sentir les doigts s'enfoncer dans ses chairs tandis qu'il se pousse en elle, les relâcher quand il se retire puis les serrer à nouveau quand il revient. Sa passivité n'est qu'apparence, elle accepte cette étreinte bestiale qu'il lui inflige, et elle explose quand elle le sent projeter sa semence en elle.

Epilogue

Que de découvertes en une seule nuit, pense-t-elle en s'endorment alors que Marcel est parti. Il lui a promis qu'il ne parlerait à personne de cette aventure et surtout qu'il n'aura jamais aucun geste qui pourrait révéler ce qui s'est passé entre eux.

Quant à elle, il ne lui reste plus qu'à initier son mari à ces plaisirs que leur éducation leur avait cachés. Elle espère qu'elle y arrivera, sinon il lui faudra peut-être inviter ce brave Marcel à venir la satisfaire.

FIN.

Troubles Emotionnels et Complexité

"Troubles Emotionnels et Complexité : Rose Navigue Entre Son Attirance pour Alexandre et leur Relation Familiale"

Rose, qui à bientôt cinquante ans, se prépare à accueillir Alexandre, le fils de sa meilleure amie, pour un court séjour. Alexandre, qui a déjà passé de nombreuses vacances chez elle durant sa jeunesse, est désormais un jeune adulte et il vient de traverser une rupture difficile.

Au fil des jours, Alexandre se sent de plus en plus à l'aise et trouve en Rose une confidente, une figure maternelle chaleureuse qui l'écoute et le conseille. Un soir, après avoir bu quelques verres de vin, Alexandre avoue à Rose qu'il a longtemps fantasmé sur elle lorsqu'il était adolescent et qu'il l'a toujours considérée comme une femme attirante.

Rose est surprise par cette confidence mais se sent également troublée. Elle réalise qu'elle aussi a ressenti une attirance discrète pour Alexandre au fil des années, sans jamais y accorder d'importance. Ne voulant pas mettre en danger leur relation ou causer de la confusion, Rose reste silencieuse et tente de minimiser la situation.

Cependant, les sentiments ambigus continuent de planer entre eux, ajoutant une couche de tension et de complexité à leur relation. Rose devra alors décider si elle souhaite exprimer ses propres sentiments ou maintenir une distance pour préserver leur amitié et la paix familiale.

Chapitre 1

– Allo ! Rose ?

Ce n'est pas vrai ? Charline qui m'appelle alors que ce n'est ni la nouvelle année ni mon anniversaire !

– Charline ? Qu'est-ce qui t'arrive ?

– On dirait que tu n'es pas contente de m'entendre ! Je te dérange ?

– Mais non, idiote ! Je suis simplement surprise ; depuis que tu as déménagé en Bretagne, il est rare que tu m'appelles.

– Comme toi, je pense ! Loin des yeux, loin du cœur, mais ce n'est pas pour ça que nous ne pensons pas à vous et aux bons moments que nous avons passés ensemble au début de notre mariage.

– C'est bien dommage que vous ayez dû déménager et tes parents ont suivi, ce qui fait que vous n'avez plus tellement l'occasion de revenir dans le Nord. Tu sais que vous seriez les bienvenus. A propos comment vont tes deux amours ?

– Mes deux amours vont bien, même si je trouve qu'André est trop souvent absent pour des manœuvres. Mais que veux-tu ? Les feux des premiers temps sont moins ardents et je m'en accommode. Quant à Alexandre, il fait mon bonheur et il vient d'être reçu à son CAPES d'Histoire-Géographie. Il va rentrer dans la vie active et devoir quitter le cocon familial.

– Déjà ! Je le voyais toujours adolescent ! Comme le temps passe ! Quel âge a-t-il maintenant ?

– 23 ans ! Et nous, ça nous fait 43 ! On vieillit !

– Tu n'as pas besoin de me le dire. Et d'après ce que tu me dis, je vois que pour nos hommes aussi. Je n'avais pas pensé à cela quand je me suis amourachée de Gérard. 12 ans de différence ne me paraissaient pas si importants ; Mais quand on est amoureuse, on ne réfléchit pas. Moi, j'ai du mal à m'accommoder qu'il me délaisse au profit de ses parties de golf. Depuis qu'un parcours s'est ouvert près de chez nous, je ne le vois pour ainsi dire plus le week-end ! Enfin, c'est comme ça ! Pour le pire et le meilleur ! Le pire est en train d'arriver ! Et l'âge ne va pas améliorer les choses.

– Tu n'as pas encore pensé à le tromper ?

– Tu es folle ! Jamais je ne tromperai mon mari. Je prends ce qu'il me donne de temps en temps et j'essaie de l'aguicher avec de belles tenues sexy, parfois ça marche mais souvent il fait l'aveugle ! Je n'ai plus qu'à utiliser les moyens d'autre fois ! Comme disait mon grand-père, les doigts sont les meilleurs des amants !

Nous rions toutes les deux comme des folles. J'ai toujours eu les mots qui laissaient pantois bien des personnes et qui les scandalisaient, même Charline me disait que j'exagérais. Je n'ai pas changé, voilà tout ! Tout en paroles mais ça s'arrêtait, jamais je ne m'étais montrée libertine par les actes et c'est Gérard qui avait pris ma virginité peu de temps après notre rencontre A l'époque, il avait des besoins sexuels qu'il me fit vite apprécier.

– Tu n'as pas changé !

– Pour devenir pire, tu n'y penses pas ! Mais je suppose que ce n'est pas pour m'entendre dire des bêtises que tu me téléphones !

– Non bien sûr. Comme je viens de te dire, Alexandre a été reçu à son CAPES et il a été nommé à Cambrai. C'est la tuile, il espérait la Bretagne ou les environs. J'ai tout de suite pensé à toi. Tu m'as dit que tu avais une grande maison à Beauvois et que tu pourrais nous accueillir durant des vacances. Et sans lui en parler, je te téléphone pour savoir si tu pourrais l'héberger durant cette première année ; bien sûr on te dédommagerait !

– Tu es vraiment folle ! Alexandre sera le bienvenu comme lorsqu'il venait en vacances chez nous alors que vous travailliez. Il a toujours été raisonnable et je ne vois pas pourquoi il aurait changé. Notre maison a deux entrées, il aura donc son indépendance s'il le désire et en plus le deuxième étage pour lui tout seul. Il pourra ramener des petites copines !

– C'est vrai qu'il allait passer les vacances chez vous le mois où nous travaillions. Il en revenait toujours enchanté. Mais à 16 ans, il a préféré rester avec ses copains.

– ou ses copines, l'interrompt Rose en riant.

– Il a beau avoir 23 ans, j'ai du mal à imaginer mon enfant faire l'amour à une fille.

– Qui te parle de faire l'amour ? On n'en est plus là me semble-t-il chez les jeunes. Ils sont plus libérés que l'on ne l'était.

– Tu as raison. Mais il n'empêche que c'est difficile.

– Je ne peux pas juger, puisque je n'ai jamais eu la chance d'être mère. La nature ne l'a pas voulu.

– Tu regrettes ?

– Bien sûr ! Quoique, depuis je m'y suis faite et disons qu'en un certain sens, c'est économique ! Pas besoin de pilule ou de préservatif !

C'est de l'humour un peu grinçant, celui que je préfère quand je risque de m'attendrir.

Nous n'avons plus grand-chose à nous dire. Alexandre prendra contact, s'il est d'accord. J'aimerais bien qu'il accepte, ça mettrait un peu de joie dans la maison.

Chapitre 2

Huit jours avant la rentrée, j'attends Alexandre qui doit arriver en voiture. Ça n'a pas été facile de le convaincre : il ne voulait pas déranger et surtout il n'acceptait pas que ce soit un hébergement gratuit. J'ai donc dû accepter qu'il participe à la vie familiale en nous dédommageant tant pour les nourritures que pour le travail que sa présence donnerait à notre femme de ménage. Enfin, il avait fini par accepter.

Je m'étais un peu plus apprêtée qu'à l'habitude. Une jupe et un petit chemisier qui s'ouvrait de façon décente mais qui laissait quand même apparaître le haut du sillon. Ça n'avait rien de choquant surtout pour ceux qui me connaissaient : j'aime m'habiller ainsi : pas vraiment montrer mais quand même un petit peu pour laisser deviner ce qui est caché. Un peu de rouge à lèvres, un léger maquillage, comme lorsque je sors.

J'entends les gravillons crisser sous les roues d'une voiture qui s'arrête ; je sais que c'est lui mais je ne bouge pas. J'attends qu'il sonne pour aller lui ouvrir la porte et là, waouh ! Ils me l'ont changé mon Alexandre, ce petit gamin est devenu un homme, un bel homme, grand, bien bâti, le visage souriant quand il me découvre. Quant à moi, de façon irréfléchie, je me jette sur lui pour l'embrasser collant mes seins sur sa large poitrine et le serrant dans mes bras. Nos baisers sont terminés mais il me garde contre lui.

– Si j'avais pu deviner un tel accueil, je n'aurais pas respecté les limitations de vitesse pour arriver plus tôt.

Je m'exclame :

– Qu'est-ce que tu as changé !

– Et oui, ça fait 8 ans que tu ne m'as pas vu ! De 15 ans à 23 ans ! Mais toi, tu n'as pas changé ; tu es toujours aussi belle ! Le temps n'a pas de prise sur toi !

– Tais-toi, flatteur ! Mais si tu me lâchais, pour que nous puissions rentrer.

– Moi, je trouve que tu es bien comme ça. Moi en tous les cas je me sens bien avec toi tout contre moi. Heureusement que tu es l'amie de ma mère !

– Pourquoi heureusement ?

– C'est vrai que j'aurais plutôt dû dire malheureusement. Sentir ton corps tout contre moi !

Je rougis, je dois être rouge écarlate ! Il y a bien longtemps que je n'ai reçu de tels compliments et je me sens toute chamboulée. Comment ce jeune homme, le fils de ma meilleure amie, peut-il dégager un tel magnétisme au point que je sens une bouffée de chaleur envahir mon corps. Il me regarde en souriant, il y a une certaine ironie sur son visage comme s'il lisait en moi.

– Allez ! Rentrons et sers-moi un grand verre d'eau ! J'ai soif !

Il s'assied sur le canapé, je vais dans la cuisine chercher des boissons fraîches : eau, jus d'oranges que j'ai pressées moi-même à son intention.

– Tu me gâtes, Rose. Gérard n'est pas là ?

– Non ! Il a repris le boulot ; il n'a pas la chance comme nous d'avoir de longues vacances. Mais il va bientôt rentrer et vous pourrez décharger ta voiture.

– Oui, de l'aide sera la bienvenue ! Mon coffre est plein ; il y en a même sur la banquette arrière ! J'arrive avec tout mon barda pour mes cours. On ne prévoit jamais assez. Si j'ai bien compris, vous m'avez réservé le deuxième étage, là où vous m'aviez fait une salle de jeux quand je venais en vacances.

– Oui, tu te souviens. On t'a préparé deux pièces, une chambre et un bureau. Gérard a eu de quoi occuper son reste de congés quand il a su que tu acceptais notre proposition. Il manque une salle de bain, mais tu as celle du premier que nous partagerons le matin.

– Ça me va très bien !

Quand Gérard revient, après avoir bu une bonne bière chacun, ils montent les bagages d'Alexandre. Pendant ce temps je nous prépare un petit souper sympathique, je sais qu'il adore le gratin aux endives avec une bonne béchamel. Ce n'est pas vraiment la saison, mais on en trouve quand même. Le repas du soir est vraiment sympathique ; Alexandre a non seulement changé physiquement mais aussi intellectuellement et les conversations ne manquent pas : il nous raconte sa vie, nous lui parlons de la nôtre. Je me plains un peu des absences de Gérard qui préfère jouer au golf le week-end plutôt que de rester avec moi. D'ailleurs le lendemain, c'est samedi, et comme tous les samedis, il partira tôt le matin pour faire un parcours avec ses amis.

– Ne t'en fais pas, Rose, demain je n'ai rien de prévu. Nous pourrons peut-être nous trouver une activité.

– D'accord, à condition qu'elle ne soit pas sportive !

– Un cinéma ? Une promenade en forêt ? A pas lents, bien sûr !

Nous rions. C'est parti pour une série de fous rires à la moindre remarque qui pour certaines n'ont rien de transcendant : il faut dire que l'apéritif et les bières qui ont accompagné le gratin ne sont pas étrangers à cette douce euphorie qui s'empare de moi, un peu refroidie quand Gérard nous annonce qu'il va se coucher puisqu'il se lève tôt demain. Faut-il que je fasse comme les autres vendredis, que je monte avec lui dans notre chambre en espérant qu'il me fasse l'amour. Je n'en ai nulle envie, alors je lui dis simplement :

– A tout à l'heure, si tu ne dors pas déjà. Nous allons d'abord tout ranger.

Nous débarrons la table, Alexandre et moi, comme on le faisait il y a quelques années, sauf que je sens bien que tout est prétexte à me frôler et même à me toucher sur la hanche. Ce n'est pas pour me déplaire même si je trouve que notre différence d'âge ne devrait pas l'inciter à de tels actes et moi non plus ; de plus c'est le fils de ma meilleure amie que j'ai un peu traité comme mon fils quand il venait chez nous en vacances.

Quand tout est nickel, nous sommes debout tous les deux dans la cuisine, silencieux, c'est lui qui rompt ce silence :

– Que veux-tu faire ? Aller te coucher ?

– Je n'ai pas envie de dormir tout de suite. Et toi ? Tu es peut-être fatigué par la route.

– Non, je n'ai pas sommeil non plus. Si tu veux, nous pourrions regarder un film, comme au bon vieux temps. Tous les deux sur le canapé. Qu'en penses-tu ?

– Comme au bon vieux temps ! Un western, ça te dit ? Tu adorais cela.

– Si tu veux.

Il me précède dans le salon et s'installe au centre du canapé. Je choisis un vieux film que nous avons regardé tant de fois et je vais pour m'installer dans un fauteuil :

– On a dit comme au bon vieux temps ! Viens à côté de moi, mais aujourd'hui, c'est moi qui vais te tenir dans mes bras. Tu te rappelles ?

Oui, je me rappelle un enfant de 10-12 ans que je serais contre moi surtout lorsque nous regardions des films d'horreur. Aujourd'hui, c'est un homme qui m'attire contre son épaule. Et je ressens en moi un trouble indéfinissable.

– Moi, je me souviens de cette dernière année où je suis venu. J'avais 15 ans et j'éprouvais des sensations que je ne m'expliquais pas. J'aimais quand tu bougeais un peu et que ton sein touchait brièvement mon bras. Comme j'aimais quand ça arrivait.

– Je n'aurais pensé à cela ; si j'avais su, je me serais vite éloignée.

– Et tu m'aurais privé de beaux souvenirs ! Tu veux que je te dise, j'adorais apercevoir la naissance de tes seins dans ton décolleté qui était plus audacieux qu'aujourd'hui. Je cherchais à en voir plus et il m'est parfois arrivé, les jours d'été, lorsque tu portais une robe qui laissait tout ton haut retenu par deux fines bretelles, eh bien il m'est arrivé de voir tes beaux seins et leurs petits tétons. Qu'est-ce que j'ai fantasmé quand je me retrouvais seul !

Je n'arrive pas à croire ce qu'il me dit avec une telle franchise. Je pense que je suis rouge de confusion. Oui, je suis toute rouge car il se met à rire.

– Voyons, Rose ; tu deviens écarlate. C'est dommage que ton col soit peu ouvert ; j'aurais envie de retrouver ce sillon que j'adorais.

– Arrête ! Je suis une vieille femme maintenant et mes seins ont bien changé !

– Ce n'est pas ce que j'ai éprouvé contre mon torse tout à l'heure. Tu as peut-être mis un soutien-gorge, mais j'ai apprécié leur fermeté.

– Non je n'ai mis de soutien-gorge. Ils ne sont pas si gros !

– C'est vrai que tu n'as pas de soutien-gorge et je vois que notre conversation semble te faire de l'effet, vu les petits tétons qui poussent le tissu. Tu veux bien me les montrer ?

– Que dirait ta mère si elle t'entendait me parler ainsi ?

– Laisse ma mère en dehors de ça ! J'ai envie de voir tes seins, ces seins qui ont éveillé ma libido et que j'ai tant rêvé de caresser ! Allons, Rose, sois gentille, montre-les-moi. Personne ne le saura ; ce sera notre secret.

Ses paroles me troublent de plus en plus, mes tétons en sont la preuve et je ne peux le nier. Ensuite, en moi, nait le désir de plaire à nouveau, d'être courtisée. Ma main monte jusqu'à mon premier bouton et je le retire, puis les autres suivent. Le chemisier s'ouvre peu à peu sans pourtant les dévoiler. Il y a si longtemps que je n'ai pas fait cela devant mon mari, comme j'aimais qu'il me regarde alors que je me dénudais. Aujourd'hui c'est devant un autre homme que je vais me dévoiler, un homme qui est si jeune et qui m'a dit son désir de voir mes seins dont il rêvait dans son adolescence. Montrer ses seins, est-ce déjà être infidèle, je me dis que non ; après tout sur la plage, je me suis déjà fait bronzer topless et j'ai parfois aimé voir le regard des hommes les regarder avec désir. Quelle différence ?

– Finis le travail si tu veux les voir.

IL tire le chemisier pour le retirer de ma jupe et il écarte les pans. Ça y est, il en prend plein la vue : je m'attendais à une certaine ironie de sa part, il n'en est rien. Il se penche et il pose sa tête sur eux délicatement comme sur un coussin. Je ne peux m'empêcher de poser une main sur ses cheveux et de les caresser.

– Qu'ils sont beaux ! Qu'ils sont doux ! me murmure-t-il.et je sens sa bouche sur ma chair. Il embrasse mes seins doucement, comme s'il avait peur que je refuse. Mais, je ne veux pas lui refuser quoi que ce soit. Tout mon corps réagit à ses baisers jusqu'à ce que ses lèvres emprisonnent mon téton. Il me tète comme le ferait un enfant ou plutôt un amant ; je réalise que c'est le fils de ma meilleure amie qui est en train de me mener au plaisir. Gérard n'est plus aussi attentionné depuis longtemps et surtout ne prend plus autant de temps à s'occuper de mes seins. Je sens des papillons dans mon ventre, vais-je jouir de cette simple caresse. Ce ne sera pas pour aujourd'hui, car tout à coup, il m'abandonne. Il me sourit :

– Tu as aimé ? Tes tétons bandaient dur. Qu'est-ce que j'en ai rêvé de te faire ce que je viens de faire. Tu viens de réaliser les désirs d'un garçon de 15 ans. Je pense qu'il est temps d'aller nous coucher, sinon nous pourrions faire des bêtises.

Mais quel corniaud, moi, j'avais envie de les faire ces bêtises, mon corps aspire à être choyé, à être aimé. Revivre ces instants délicieux que Gérard m'avait fait vivre il y a si longtemps. Il a refermé mon chemisier sur ma poitrine, m'a embrassé sur la joue et il est parti dans sa chambre. C'est frustré que je l'ai suivi peu après pour m'allonger près de mon mari en train de ronfler. J'ai mis longtemps à trouver le sommeil.

Chapitre 3

Je n'ai pas entendu Gérard se lever et quand j'ai ouvert les yeux, le soleil brillait. Ma première pensée a été pour Alexandre et c'est un sentiment de culpabilité que j'ai éprouvé non vis-à-vis de Gérard mais vis-à-vis de moi-même : que va-t-il penser de moi ? Que je suis une marie-couche-toi-là ? Pourtant, j'espérais intérieurement que ça ne s'arrêterait pas là !

J'ai vite pris une douche et c'est vêtu seulement d'un slip et d'une robe d'été que je descends à la cuisine. Il va encore faire très chaud aujourd'hui ; c'est l'excuse que je me donne.

Je suis assise à la table en train de prendre mon café quand Alexandre arrive. Il porte le shorty avec lequel il a certainement dormi et un tee-shirt. Il vient derrière moi, comme il le faisait avant, il m'enlace et dépose des petits baisers dans mon cou :

– Comme au bon vieux temps, me dit-il. As-tu bien dormi ?

– Non pas très bien ! Gérard a ronflé toute la nuit ! Tu veux du café ?

Je vais pour me lever mais il me garde enlacée.

– Je vais le faire. Laisse-moi encore profiter de la plus belle femme que j'ai vue depuis longtemps.

Il embrasse mes épaules, et ses mains remontent jusqu'en haut de ma robe, il tire doucement dessus pour dévoiler mes seins que rien ne couvre. Une bouffée de chaleur me prend qui n'a rien à voir avec le soleil.

– C'est comme ça que j'aimais te voir le matin et voilà ce que j'aurais voulu te faire. J'adore tes seins, j'espère que tu me les montreras encore.

– J'ai l'impression que tu n'as pas besoin que je te les montre, tu sais te servir tout seul. Allez sers-toi un café !

– A vos ordres ! dit-il en s'éloignant.

Il est maintenant attablé devant moi, il est silencieux, il me regarde ou plutôt son regard est fixé sur ma poitrine. Je me sens en panique : mes tétons ont durci et il ne peut que le remarquer.

– Arrête de me regarder comme ça ! Tu me mets mal à l'aise !

– J'aime voir ce qui se produit quand tu es mal à l'aise. Je n'avais jamais remarqué auparavant que tes tétons exprimaient aussi bien tes sentiments !

– C'est normal ! Tu ne m'avais jamais dit ce que tu m'as dit hier et tu ne m'as jamais non plus fait ce que tu viens de me faire. Oui, ça me trouble, voilà tout ! Tu n'as rien d'autre dans tes souvenirs de jeunesse ?

– Je ne sais pas si je peux te les dire.

– Pendant qu'on y est !

– J'aimais beaucoup quand tu vidais le lave-vaisselle ou le remplissais. Je m'arrangeais pour manger une tartine de plus et te regarder quand tu te penchais : ta robe d'été remontait découvrant tes belles jambes jusqu'à la limite de tes fesses. Il me suffisait de laisser tomber une cuillère et, en la ramassant, je pouvais voir ta culotte et les beaux contours de ton sexe surtout quand tu portais ta culotte bleue, si fine, si transparente !

– Mais tu es un vrai pervers !

– Non seulement curieux, comme on peut l'être à 15 ans ! Tu as encore cette culotte bleue ?

– Depuis 8 ans tu te doutes bien que j'en ai acheté d'autres ! Je ne me souviens même plus d'elle.

– Tu en portes une aujourd'hui ?

– Bien sûr.

Il me regarde, il saisit son couteau et le laisse tomber. Non mais qu'est-ce qu'il fait ? Il se lève et se met à genoux et avance sous la table. Mes genoux sont légèrement entrouverts, que peut-il voir ? Certainement une bonne partie de mes cuisses mais certainement pas plus haut. Il ne parle pas, et nous restons là tous les deux silencieux. Que m'arrive-t-il ? J'écarte les genoux un peu à la fois, je m'attends à une réaction de sa part, mais il ne dit rien. J'aurais aimé le voir, voir ce que reflète son visage devant la vision que je lui offre. Je veux le pousser à réagir, alors j'écarte largement les cuisses lui donnant accès à la culotte rose qui couvre mon sexe.

– Du rose pour une Rose, l'entends-je dire. On dirait que la fleur commence à s'ouvrir vu la rosée qui mouille la culotte. Que ce soit par tes seins ou ta vulve, tu laisses toujours ton corps s'exprimer.

Il se relève en silence, nous nous regardons, je vois dans ses yeux le désir et je pense qu'il voit le mien.

– Tu as aimé ? je lui demande.

– Qui n'aimerait pas qu'une belle femme lui ouvre les cuisses pour qu'il puisse se régaler, même pas transparence de ses jolis coussinets. Bien sûr le rose de ta culotte est beau mais tu sais, j'aimerais aussi que tu me dévoiles un rose plus naturel, plus vivant.

Demande explicite à laquelle je ne suis pas insensible. Oui, j'ai envie qu'il puisse voir mon sexe. Depuis hier il a réussi à éveiller mes désirs et à briser mes tabous. Je me lève et je vais dans les toilettes. Quand je reviens, je dépose sur la table ce bout de tissu rose soulé en boule et je me rassieds. Il s'en saisit et le porte à son nez. Il hume l'odeur de ma chatte qui a mouillé le tissu. Il me regarde avec un grand sourire :

– J'adore ton odeur !

Il prend sa cuillère et la laisse tomber sur le sol :

– J'ai toujours été maladroit, me dit-il en passant sous la table.

Je m'avance sur le bord de ma chaise à la limite de tomber. J'écarte les genoux et ouvre mes cuisses pour qu'il puisse bien voir ma fleur rose s'ouvrir. Je le sens se saisir de mes cuisses pour les ouvrir encore plus et, comme un affamé, il abat sa bouche sur mon sexe. Oh la vache ! Je ne me rappelle pas que mon mari m'ait prodigué cette caresse avec autant de fougue. Avant que sa langue s'introduise en moi, il embrasse mes lèvres lisses, dégage mon clitoris de son écrin et le suce doucement le nez posé sur le petit buisson bien taillé. Où a-t-il appris à faire l'amour à une femme ? En tous les cas, son initiatrice était douée, bien plus que moi. Il me fait monter au septième ciel en peu de temps, je lui envoie une bonne giclée de liqueur, son visage doit en être barbouillé.

Ça ne l'arrête pas car il reprend immédiatement sa tâche sur mon sexe : il cherche tous les points sensibles et il les trouve. J'ai saisi les bords de la table et les serre à m'en faire mal aux doigts. Jamais je ne m'étais laissé aller à un tel plaisir lors d'un cunnilingus ; il faut dire que Gérard n'a jamais fait durer le plaisir aussi longtemps. Je ne pense plus à rien. Je me laisse porter par le plaisir prodigué sous la table sans que je puisse voir quoi que ce soit. Ça pourrait être n'importe qui, ça me serait égal maintenant ! Un de ses doigts vient à l'orée de ma chatte et s'enfonce avec lenteur entre mes chairs tandis que sa bouche aspire mon clitoris. Je crie grâce, tant ma jouissance est grande et je referme mes cuisses le forçant à s'éloigner. Non, il ne faut plus qu'il me touche, je ne supporterai plus. Il s'éloigne et sort de son abri.

Quand je le découvre, il est assis face à moi, il s'essuie le visage avec ma culotte ; je n'aurais jamais imaginé qu'il se montre aussi vicieux :

Je me doute bien qu'il apprécierait que je lui rende la pareille ; mais je n'en ai pas la force ni le courage. Il m'a véritablement épuisée : le manque d'habitude sans doute !

– Je pense que j'ai besoin d'une bonne douche !

– Moi aussi. On la prend ensemble ?

Je refuse sous prétexte que la cabine est trop étroite. Il n'insiste pas, ce que je regrette par la suite quand je me lave : comme j'aurais que ce soient ses mains qui étalent le gel douche et qui le fassent mousser sur mon corps.

Chapitre 4

Je n'ai pas revu Alexandre de la matinée. Je l'ai entendu prendre sa douche et il est remonté au deuxième certainement pour ranger ses affaires. J'en profite pour faire un peu de ménage et préparer le repas du midi. Gérard ne rentrera pas, je voudrais faire un peu mieux qu'à l'habitude mais je me dis qu'Alexandre aimait le bifteck frites ; ce n'est pas ce qu'il doit manger en Bretagne. Je sors pour aller chez le boucher acheter une bonne bavette d'aloyau. C'est mon morceau préféré !

Quand je reviens, il est installé dans le salon où il lit un magazine. Je vais le retrouver et m'assieds à côté de lui, non sans lui faire un petit bisou sur la joue.

– C'est vrai que nous ne nous sommes pas dit bonjour ce matin !

– Tu n'exagères pas un peu ! Après ce que tu m'as fait ?

– C'est comme ça que tu veux que je te dise bonjour maintenant ?

– On ne sera pas toujours seuls ; il vaudrait mieux conserver nos vieilles habitudes !

– Gérard ne rentre pas ce midi ?

– Normalement non. Il mange avec ses copains avant de rentrer. Je t'ai prévu un bifteck-frites, ça te va ?

– Si tu le fais toujours aussi bien qu'avant ça me va ! Des nouveaux souvenirs de jeunesse vont me remonter.

– Ne me dis pas que tu as encore d'autres choses que tu ne m'as pas avouée ?

– Non pas à ce sujet ! Mais tes bonnes frites, c'est une tuerie !

– Eh bien dans ce cas, je vais aller les préparer. Un grand gaillard comme toi, il va m'en falloir une bonne portion.

– Je vais aller t'aider.

– Non continue à lire et repose-toi.

Je n'ai pas envie qu'il vienne près de moi dans la cuisine. J'ai trop peur de ce qui pourrait à nouveau se passer. Il ne faudrait pas que Gérard nous surprenne s'il lui prenait la fantaisie de revenir.

Quand tout est prêt, je reviens dans le salon, il lève les yeux vers moi, j'aime son regard, je crois y déceler une certaine admiration. Mais n'est-ce pas tout simplement mon propre désir que je voudrais voir dans ses yeux, même si je me dis que ce que j'éprouve n'est pas raisonnable. Une femme de 45 ans avec un jeune de 25 ! Et de surcroit le fils de ma meilleure amie. Il n'est pas là depuis une journée et il m'a déjà fait faire ce que je n'aurais imaginé : tromper Gérard, quoique nous n'ayons pas encore franchi le pas le plus important, ce que j'aurais bien accepté hier si j'en avais eu l'audace : aller au deuxième étage alors que mon mari ronflait.

J'entends la porte s'ouvrir, c'est Gérard qui revient. Je lui suis presque reconnaissante de sacrifier le repas avec ses copains pour faire honneur à Alexandre. Cependant des sentiments contradictoires de soulagement et de regret m'envahissent : regret de ne pas pouvoir vivre ce moment seule avec Alexandre ; soulagement de savoir que nous allons devoir être raisonnables et que je n'aurais pas à lutter contre mon désir.

– Tu es revenu ?

– Oui, pour le premier jour d'Alexandre, je ne pouvais être absent. Surtout que je suis sûr que tu vas nous faire un bon bifteck frites !

– Heureusement que j'ai prévu : j'ai acheté 3 biftecks !

Nous n'avons plus tellement l'habitude de partager ce menu du samedi depuis qu'il va au golf. Je ne peux lui dire que c'est par habitude que j'ai demandé 3 biftecks, comme au temps des vacances du bon vieux temps, même si je pense que le bon vieux temps, je suis en train d'en vivre un qui va me laisser des souvenirs merveilleux. J'ai encore le souvenir de sa barbe de quelques jours sur mes seins et surtout sur ma vulve. Voilà ce à quoi je pense alors que je prépare une nouvelle portion de frites et que je les entends discuter dans le salon.

Mes deux hommes ont fait honneur à mon plat. Ils ne sont pas privés de boire quelques bières en plus de l'apéro que nous avions pris et c'est dans une douce euphorie que nous nous allongeons sur nos transats pour une petite sieste. Nous irons ensuite visiter Cambrai. Alexandre veut reprendre contact avec cette ville dans laquelle il va enseigner. Nous l'avions bien sûr déjà visitée lors de ses séjours mais il faut bien avouer qu'il avait été plus intéressé par le papillon du jardin public plutôt que par la portée symbolique de ta Porte Notre Dame. C'est avec un regard neuf qu'il redécouvre la ville : nous lui donnons des précisions historiques qui intéressent le futur professeur cambrésien.

Au détour, de notre balade, nous rencontrons un ami de Gérard avec qui il joue au golf. Présentations faites, il nous apprend que son épouse enseigne au Lycée Fénelon dans lequel est nommé Alexandre. Il nous propose de se joindre à eux le lendemain : ils ont prévu avec sa sœur et son beau-frère un repas à la Charmille, une sorte de guinguette à quelques kilomètres de Cambrai. Pourquoi pas après tout, même si personnellement j'aurais préféré rester à la maison. Je n'aime pas beaucoup me retrouver avec les copains de mon mari, certains d'entre eux sont souvent lourds dans leurs blagues et leurs propos me gênent, surtout quand ils me sont adressés à l'insu de Gérard. Si je ne voulais, il y a longtemps que j'aurais franchi le pas : jusqu'alors ma fidélité était un principe et je ne pensais jamais être infidèle un jour aux liens dits sacrés du mariage.

Guy semble un peu plus jeune que Gérard et il a l'air sympathique. Je suppose qu'il doit en être de même pour son épouse. Je les situerais donc un peu plus âgés que moi. Faire la connaissance d'une professeure déjà dans la place me semble intéressant pour lui ; il éprouve certainement le même sentiment car il s'empresse d'accepter quand Gérard lui pose la question. Nous retrouverons donc le midi, nos places seront réservées.

Notre promenade dans Cambrai étant terminée, nous nous décidons à aller manger dans un bistrot qui propose des tripes. Nous aimons ce plat que d'autres détestent : c'est vrai qu'il s'agit de l'estomac de la vache, mais qu'ils se rassurent, cette viande est bien nettoyée et cuit pendant de longues heures pour donner une sauce épaisse dans laquelle nous trempons notre pain. Alexandre est un peu sceptique mais dès qu'il y a goûté, il en prend lui aussi. Il y a bien longtemps que je n'ai pas été aussi gaie et certainement un peu pompette avec le vin blanc qui a accompagné. Quand nous retournons à la voiture, chacun me prend le bras pour assurer ma stabilité. Deux hommes pour moi toute seule, dont les bras touchent mes seins sur le côté. Des idées coquines s'imposent à moi et je me mets à rire, rire de femme légèrement saoule qui savoure le fait qu'elle est entourée de son mari et de son amant. Chez nous, je suis trop fatiguée et je suis la première à aller me coucher. Quand Gérard me rejoint, il se montre amoureux : c'est souvent ce qui lui arrive quand il a un peu bu. Je me laisse faire mais quand il me pénètre, c'est à Alexandre que je pense, ce qui me procure un orgasme comme je n'en ai pas éprouvé depuis longtemps. J'aurais bien envie de continuer à faire l'amour, mais Gérard, comme à son habitude maintenant, se tourne sur le côté et s'endort. Je sombre vite dans un profond sommeil.

J'ai la gueule de bois quand j'émerge d'une nuit peuplée de rêves, tantôt affreux d'un inspecteur dans ma classe alors que je n'ai rien préparé, tantôt érotiques où Alexandre et Gérard se disputent mon corps. Je me dirige tout de suite vers la cuisine. J'y retrouve les deux hommes buvant leur café.

– Bien dormi ? me demande Gérard.

– Pas tellement. Et le réveil est douloureux !

– Oui, ta nuit a été agitée ! Tu n'as pas arrêté de bouger !

– Un bon effervescent et plus rien n'y paraîtra.

Je n'ai pas envie de café. De l'eau avec le médicament ; je grimace. Ils rigolent tous les deux.

– Quand on ne supporte pas l'alcool, voilà ce qui arrive, je murmure plus pour moi que pour eux. Le manque d'habitude ! Avant je supportais mieux. Je vais aller prendre une bonne douche ; ça va m'aider !

– Tu ne veux pas que j'aille t'aider, dit Gérard avec un sourire égrillard.

– Non, merci ! lui dis-je sèchement, n'admettant pas qu'il dise cela devant Alexandre, surtout que d'ordinaire il ne me propose pas ce genre de distractions que je n'aurais pas refusées s'il l'avait fait.

Je suis certainement rouge de confusion, et je vois le sourire d'Alexandre. Je crois deviner ses pensées : « Et si c'était moi qui te le proposais ? » ; je rougis encore plus, me semble-t-il. Certainement que oui, j'accepterais bien qu'il vienne m'aider à sortir de ma léthargie en me faisant vibrer. Et je vibre sous mes doigts en me lavant, rêvant que c'est Alexandre qui me caresse et qui introduit ses doigts dans mon sexe. J'ai hâte que nous soyons seuls et qu'il me fasse jouir.

Je suis remise quand nous arrivons au restaurant. L'abord ne paie pas de mine. Nous trouvons une place et rentrons : Guy et Isabelle, son épouse, sont accompagnés d'un jeune couple, le frère d'Isabelle, André et Sabine, sa petite copine. Je me rends compte alors qu'Isabelle est plus proche en âge d'Alexandre que je ne l'étais imaginé. Un remariage, certainement ! Un vieux qui s'est laissé prendre au piège d'une jeunette ! Elle me devient soudain antipathique : est-ce de savoir qu'Alexandre va devenir le collègue de cette jeune femme qui s'empresse d'attirer son attention en lui parlant de leur lycée ? Pour le repas, je m'arrange pour être entre Alexandre et mon mari ; qu'Alexandre soit à côté de moi. Isabelle s'est assise à côté de son mari juste en face d'Alexandre et ils continuent leur conversation. Ils parlent de la rentrée et surtout de la vie de l'établissement dans lequel elle enseigne depuis déjà deux ans. Je ne prête guère attention à ce qu'ils disent ; par contre j'aime la compagnie des deux petits jeunes qui racontent des histoires marantes et Guy n'est pas le dernier. Durant l'apéro deux musiciens chanteurs se sont mis en place et ont vite mis l'ambiance avec un rock. Alexandre et Isabelle sont partis sur la piste de danse et sont vite au diapason.

Guy me sourit :

– Où est le temps où un tel rythme ne me faisait pas peur ? Mais pour tout dire, je n'ai jamais aimé cela.

– Oui, c'est ça ! Des danses plus calmes ! Le tango ou le slow !

– Pas que ! J'aime aussi la valse et les danses d'un autre temps ! Mais le rock et ces danses nouvelles où l'on se trémousse chacun à sa façon, ça ne me va pas. Si tu veux, tout à l'heure, je t'inviterai pour une valse.

– Pourquoi pas ! On a la journée pour nous amuser.

Ce sont deux jeunes couples essoufflés qui nous rejoignent quand les musiciens entament une série de slows. Alexandre reste seul à la table. Bien sûr, j'aurais aimé que ce soit lui qui m'accompagne mais il en est toujours ainsi, notre premier slow, Gérard et moi, nous le dansons toujours ensemble. Après, c'est au gré de nos envies ou des invitations des convives. Nous mangeons l'entrée, une petite pause pour les musiciens qui reprennent sur un paso-doble. Guy m'invite, il est bon danseur et il me dirige dans des figures que je n'avais jamais exécutées. Il ne se prive pas de m'attirer contre lui à certains moments et j'avoue que je ne suis pas insensible à son corps contre le mien. Que m'arrive-t-il ? Moi, si sage, il y a quelques jours, me voilà à éprouver des papillons dans mon ventre à sentir mes seins s'écraser même furtivement contre le torse de cet homme que je ne connaissais pas avant-hier. Quand nous regagnons notre table, il me dit :

– J'espère que nous aurons l'occasion de danser encore ensemble.

– Tu m'as promis une valse, lui réponds-je.

– Un tango, me plairait aussi. J'adore cette danse où les corps se touchent intensément.

– Allons, il faut être raisonnable : nous sommes mariés tous les deux et tu as une très belle femme.

– Oui, c'est vrai. Mais elle aussi apprécie danser avec un autre que moi !

Je ne m'attendais pas à une telle réponse et je reste bouche bée. Le plat s'annonce et nous mangeons de bon appétit un poetchwech, accompagné de frites et de salade. On ne peut pas dire que ce soit très raffiné et que ce soit un plat typique du Cambrésis, mais les viandes en gelée sont délicieuses. La bière accompagne et les tournées se suivent ; la danse et le plat lui-même donnent soif. Je reste raisonnable, il n'en est pas de même pour Gérard et Guy. Il va encore y avoir de la viande saoule ce soir. On peut dire ce que l'on veut mais les jeunes se montrent plus raisonnables, buvant plus souvent de l'eau que de la bière.

La musique reprend par un nouveau slow, je m'attends à ce qu'Alexandre m'invite mais c'est André qui le fait tandis qu'il invite Isabelle. Je ne peux m'empêcher d'être jalouse ; je les vois s'enlacer et s'éloigner doucement. Je ne veux pas les perdre de vue mais souvent je n'y arrive pas ; André me parle de tout et de rien, mais il me force à être attentive à ce qu'il me dit. J'aurais envie de lui crier dessus pour qu'il ne capte pas mon attention. Ça y est le les vois. Quand André me disait qu'elle appréciait de danser avec un autre que lui, je ne m'attendais quand même pas à ce que je vois, elle est collée à lui des pieds jusque la tête, joue contre joue. La main droite d'Alexandre caresse son dos, jusque sa chute de reins. Encore heureux, elle ne va pas sur ses fesses ; par contre en remontant, elle s'attarde sur le côté de son seins et atteint même le mamelon. Tout cela m'est apparu en quelques secondes, puis André m'a éloignée et je ne les ai plus vus avant qu'ils ne reviennent à la table, la main dans la main.

Je suis en colère contre Alexandre et je ne participe plus aux discussions. Je touche à peine aux fromages qui nous sont servis. J'ai envie de partir. Personne ne semble s'apercevoir de mon mal-être, ce qui me fait encore plus souffrir ; même Gérard passe une bonne après-midi. Il faut dire que la bière fait son effet. Alexandre semble se souvenir de moi en m'invitant à danser. C'est un slow ; non je n'y vais pas. J'ai envie de l'envoyer paître

–Non ! Je suis fatiguée, dis-je pour être entendue des autres.

– Tu ne peux pas faire ça, me dit Gérard.

– Pourquoi pas ?

– Parce que ça ne se fait pas. Qu'est-ce que tu as ? Tu fais la gueule ?

– Main non je ne fais pas la gueule ! J'avais juste envie de me reposer un peu ! Mais puisque tu insistes !

Je le suis sur la piste de danse et nous nous glissons dans la foule. Il m'a saisie et de ses mains puissantes il a voulu m'attirer contre lui. Je lui résiste pour que mon corps ne se colle pas au mien.

– Tu te souviens que j'existe ? Je crois que tu as fait une nouvelle conquête !

– Qu'est-ce que tu veux dire ?

– Tu crois que je ne t'ai pas vu comment tu dansais avec Isabelle et comment tu la caressais ?

– Et alors ? En quoi cela peut-il te gêner ? Tu ne vas pas me dire que tu es jalouse ? Un peu de flirt en dansant, ce n'est pas si grave !

– Comment peux-tu dire cela ?

– Ne me dis pas que tu me demandes de t'être fidèle ? Fidélité n'est pas le mot juste, nous ne sommes rien promis jusqu'alors, Tu demandes l'exclusivité ! Est-ce que moi, je te demande l'exclusivité ?

– Que veux-tu dire ?

– Que je suis passé hier devant votre porte et que ce que j'ai entendu ne laissait aucun doute sur ce qui se passait dans votre chambre !

– Oui et alors Gérard est mon mari !

– Oui et tu as droit de t'envoyer en l'air avec lui, Et moi, qui ne suis pas marié, je n'aurais pas le droit avec une belle femme ? Isabelle est très belle et aime flirter ; pourquoi je m'en priverais ? Maintenant, c'est avec toi que j'ai envie de flirter, je devrais plutôt dire que j'avais envie, parce qu'avec une telle scène, ça me refroidit.

– Tu devrais comprendre que je suis vexée.

– Non, je ne comprends pas, j'ai envie de toi plus que tu ne penses sauf que je ne pense pas pouvoir l'afficher comme je l'ai fait avec Isabelle qui m'a dit que son mari était d'accord pour qu'elle flirte en dansant. Alors je ne suis pas privé. Avec toi, j'ai envie aussi de flirter mais il va falloir que je fasse attention ! Gérard ne serait pas d'accord s'il s'en apercevait !

– Comment veux-tu que je rivalise avec elle ? Elle si belle et si jeune !

– Qui parle de rivaliser ? Si toi aussi tu veux que notre relation continue, il va falloir accepter que tu ne sois pas la seule et tu dois avoir suffisamment confiance en toi et en ta beauté et être inventive pour continuer à me séduire ; et jusqu'alors, je peux te dire que tu as parfaitement réussi : comme j'ai aimé que tu me donnes ta culotte mouillée de ton jus !

Je n'en reviens pas. Il me demande d'être inventive pour rivaliser avec Isabelle. Je me rends compte que j'ai un avantage certain sur elle, il vit à la maison. J'ai envie d'être inventive, comme il dit, je descends ma main posée sur son dos et lui caresse les fesses. Je sais que dans cette foule nous entoure, je ne risque pas d'être vue :

– Inventive, comme ça ? je lui demande.

– C'est un bon début, si tu continues, tu pourrais passer sur le devant et sentir que je commence à bander et je serais très embêté pour retourner à la table !

– Tu bandais aussi avec Isabelle ?

– Non, pas vraiment ! Une légère excitation !

Je rapproche mon bassin du sien jusqu'à ce que nos pubis entrent en contact, c'est vrai qu'il ne bande pas encore, cependant je peux sentir son sexe pas tout à fait au repos contre le mien.

– Tu trouves que c'est mieux ? Suis-je assez inventive ?

Je réalise que ce petit jeu me fait plus d'effet que je ne l'imaginais. Mes tétons durcissent, avec la robe légère que je porte, j'ai peur que cela se voie ; ce qui ne se verra pas par contre c'est l'humidité qui envahit ma vulve. Il y a bien longtemps que je n'avais ressenti de tels désirs de sexe en public. Je n'ai pas envie que les danses s'arrêtent pourtant c'est ce qui arrive, trop vite ; sans ma jalousie, j'aurais sans doute profité plus de ce moment.

Quand nous reprenons place à notre table, je vois que Gérard en a profité pour boire une bière supplémentaire, il était seul, le pauvre !

– Bien dansé ? me demande-t-il d'une voix pâteuse.

– Oui ! Et toi, tu as bien bu ? Tu vas finir par être complètement saoul !

– Pour une fois qu'on s'amuse !

Pour une fois qu'on s'amuse, il a bien raison. Sans en avoir l'air, Alexandre a rapproché sa jambe de la mienne : comme c'est agréable, même si j'aurais préféré que ce soit sa main qui se pose sur ma cuisse. Je suis tout émoustillée, comme une adolescente : j'ai envie de caresses et ce seul contact entretient en moi cet état que j'éprouvais en dansant. Nous mangeons le dessert ; les danses se succèdent ; Gérard et Guy ne participent plus, je pense que leurs pas ne doivent plus être très assurés surtout qu'ils continuent à trinquer ensemble ; les jeunes et moi-même sommes passés depuis longtemps à l'eau pétillante, ce qui fait rire les deux poivrots !

Il est déjà tard quand nous nous décidons à retourner chez nous. Pas question que Gérard conduise ; je me mets au volant et je le force à monter à l'arrière ; je ne veux pas qu'il me gêne dans ma conduite mais surtout je veux que ce soit Alexandre qui s'assoie à côté de moi. Je m'arrange pour que ma jupe dévoile plus que ce que la décence permet, pas au point de voir ma culotte mais presque. Il ne s'y trompe pas et alors que nous sommes engagés sur la route :

– Un peu plus haut, ta jupe, me chuchote-t-il. Que je voie ta culotte !

Je me déhanche un peu, la jupe remonte, j'écarte les jambes pour qu'il puisse voir à l'occasion des intervalles des lumières de l'éclairage public, le fond de mon sous-vêtement qui épouse mon sexe. Ça ne dure pas longtemps car nous sommes vite en rase campagne. Il pose sa main directement sur mon sexe :

– Tu es toute mouillée, cochonne, me murmure-t-il. C'est Gérard qui va être content !

– Gérard est complètement bourré ! Je ne vois pas ce qu'il va pouvoir assumer ! J'espère que tu ne vas pas me laisser comme ça ! lui réponds-je sur le même ton.

– Tu crois qu'il va encore nous laisser tous les deux.

– Je pense que oui ! De toute façon, il n'aura pas son mot à dire. Tu l'entends, on n'a pas fait quatre kilomètres et il ronfle déjà.

Son doigt glisse le long de ma fente, atteint le clitoris.

– Arrête ! Je conduis ! Tu vas nous mettre au fossé si tu continues.

– Dommage !

Il laisse sa main bien à plat sur mon sexe pendant le reste du trajet. Je me demande ce qu'il peut éprouver à avoir ainsi mes lèvres gonflées sous ses doigts, moi, je sais bien ce qu'ils me procurent, un bien être que je n'avais ressenti depuis longtemps, j'ai hâte d'être à la maison et que nous puissions profiter l'un de l'autre.

Chapitre 5

Ça n'a pas été facile de mettre Gérard au lit, il ne prétendait pas monter se coucher, il voulait boire un cognac, « Le dernier » jurait-il. Mais je me suis montrée intraitable. Alexandre l'a aidé pour monter les escaliers, au début il refusait, mais il s'est enfin rendu compte que sa stabilité était plus que précaire. Nous nous y sommes mis à deux pour le déshabiller et l'avons mis coucher vêtu simplement de son boxer.

Je prie tous les saints du ciel pour qu'il ne soit pas malade et qu'il m'en mette partout dans la chambre. Pour le moment, je suis assise à côté d'Alexandre sur le canapé, comme nous l'étions le premier soir, sauf que je n'ai pas envie de mettre la télé, j'ai envie qu'il me prenne dans ses bras et qu'il m'embrasse. Je me rends compte avec consternation qu'alors qu'il m'a caressé et embrassé les seins, qu'il m'a bouffé la chatte sous la table dans la cuisine et fait jouir, nous n'avons pas échangé un seul vrai baiser comme devraient le faire deux amants. Je n'en avais pas éprouvé le besoin. Mais là j'ai envie et je le lui dis :

– Prends-moi dans tes bras et embrasse-moi !

Un bras sur mes épaules, il approche son visage du mien, nos lèvres entrent en contact pour un baiser presque respectueux, nos yeux ne se quittent pas, il passe sa langue sur mes lèvres ; je devine son désir, c'est la première fois qu'une langue autre que celle de mon mari va pénétrer dans ma bouche, je me souviens de l'émotion que j'avais ressentie lorsque nous avions échangé notre premier vrai baiser d'amoureux, je ne dirais pas que j'éprouve cette même sensation, non, il n'y a pas d'amour entre nous, seulement l'attrait sexuel pour moi d'un nouveau partenaire. Et je m'offre à lui, j'ouvre la bouche et nos langues entre en contact. Il prend possession, sa langue est forte contre la mienne et notre baiser s'enflamme. Une main s'est posée sur mon sein, la mienne se pose sur son pantalon, là où vit l'objet de mon désir depuis que nous avons dansé l'un contre l'autre. Et pour vivre, il vit. Il grandit peu à peu sous ma caresse.

C'est moi qui romps notre baiser, j'ai envie d'autre chose, j'ai envie de lui rendre ce qu'il m'a fait sous la table. Tandis qu'il descend les bretelles de ma robe pour découvrir mes seins, je retire sa ceinture et ouvre son pantalon et introduis ma main dans son sous-vêtement ; Comme sa chair est douce ; son sexe grandis sous ma caresse ; je le veux à l'air libre, avec son aide, je descends pantalon et boxer et je me penche pour déposer un baiser léger sur le gland que j'ai mis à nu : comme j'aime découvrir l'odeur de ce nouvel amant, odeur un peu forte après une journée mais qui me fait chavirer. Je passe ma langue sur le fût, il gémit, ma main flatte ses bourses gonflées, ma bouche suit ; je les lèche, j'en prends une dans la bouche. Comme c'est excitant ! Je reviens sur son gland que je prends dans ma bouche, je le suce et le lèche ; A ses mouvements et à ses gémissements, je sais qu'il apprécie ; quant à moi, je me surprends parfois à grogner de plaisir à ce que je lui fais subir.

L'effet escompté arrive doucement, il se tend maintenant à mes caresses buccales, il m'accompagne par des mouvements du bassin qui ne laissent au doute sur la montée du plaisir, après des caresses dans mes cheveux, il est revenu s'occuper de mes seins qu'il ne se prive pas de malaxer et dont il pince et serre les tétons, ce qui déclenche en moi secousses semblables à du courant électrique. Ma vulve fourmille de mille picotements et mouille ma culotte. J'ai envie de lui, j'ai envie qu'il s'enfonce en moi, qu'il s'introduise entre mes parois et pourtant je ne suis pas prête à abandonner cette adorable friandise qui remplit ma bouche.

– Arrête, me crie-t-il. Je ne vais pas me retenir plus longtemps !

C'est seulement que j'accélère mes mouvements, branlant d'une main, pressant ses testicules de l'autre, me préparant à recevoir les libations qu'il va m'envoyer dans la bouche. Il voudrait se retirer mais je l'en empêche, Gérard m'a appris à aimer cela que de sentir le sperme gicler sur ma langue et de l'avaler ; qu'est-ce que j'ai râlé au début mais maintenant j'attends avec impatience que cela arrive. Je ne suis pas déçue : je pense à la chanson de Gainsbourg : « lorsque le sucre d'orge, parfumé à l'anis coule dans la gorge d'Annie ; elle est au paradis. ». C'est moi qui suis au paradis, paradis de la luxure, pour la première fois, je trompe mon mari en avalant le sperme d'un autre homme et, si on est loin d'un goût anisé, j'adore quand même le déguster.

Je tente de garder en bouche ce sexe à qui je viens de donner du plaisir, mais il n'a plus la vigueur et la fermeté et même si j'en apprécie la faiblesse et la douceur, je l'abandonne. Il me relève et, à mon grand étonnement, il m'embrasse sur la bouche. Jamais Gérard n'a accepté un tel baiser alors qu'il venait d'éjaculer dans ma bouche. Je me laisse faire et notre baiser est passionné.

– Merci, Rose, me dit-il. Tu as été merveilleuse : la meilleure pipe que je n'aie jamais eue. Tu veux que je m'occupe de toi maintenant : j'ai envie de bouffer la chatte mais avant de pouvoir la voir en pleine lumière. Sous la table je ne l'ai pas vraiment vue !

Oui, j'ai envie de lui montrer ma chatte qui est tellement humide ; je retrousse ma robe sur mon ventre et j'ouvre grand les cuisses. Il se saisit de chaque côté de ma culotte et me la retire ; Je lui dévoile mes lèvres luisantes, lisses, surmontées d'une petite touffe bien taillée, j'aime conserver un peu de ce que l'on considérait avant comme un attribut tellement sexy. La mode a changé et le goût des hommes aussi, semble-t-il. Il m'écarte les cuisses et je sens son souffle sur mon sexe, mais il ne me touche pas encore, il m'observe, mes lèvres se sont écartées d'elles-mêmes et je pense qu'il peut commencer à voir les chairs rosées.

– Une belle chatte, me dit-il. Qu'est-ce que j'en ai rêvé dans ma jeunesse ! Voir en pleine lumière ces lèvres bombées que je devinais sous ta culotte quand, sans y prendre garde, tu te baissais pour garnir le lave-vaisselle.

– Tu ne les as pas vues sous la table ?

– Si, mais dans une certaine pénombre et surtout je ne voyais pas ton visage. Là, tu m'offres ta chatte, tu me regardes et je vois ton sourire et tes yeux qui brillent. Tu aimes ce que tu fais !

– Oui, j'aime ce que je fais ! J'aime savoir que tu vas m'embrasser et me faire jouir ! Ce que je fais avec toi, je ne l'ai jamais fait avec Gérard, Il faut dire qu'il ne s'est jamais arrêté pour contempler mon sexe avant un cunniculus ! Touche-moi !

– Pourquoi ne te toucherais-tu pas toi-même ? Ouvre tes lèvres que je puisse bien voir tes parois ! Montre-moi ton clitoris, ton petit bouton d'amour que je vais bientôt sucer ! Fais-moi découvrir ton sexe, montre-moi ce que tu voudrais que je te fasse ; montre-moi ce que tu te fais quand tu es seule !

Je lui offre ce spectacle que je n'ai jamais offert à personne puisque Gérard avait toujours préservé ma pudeur en me prodiguant cette caresse dans le noir ; je ne réfléchis pas à ce qu'il vient de me dire sur mes plaisirs solitaires que je garde secrets et je découvre que j'aime ce qu'il me fait faire. Ecarter mes lèvres et en maintenir une pour qu'il voie ; sortir mon petit bouton encapuchonné et le faire grandir comme je le fais parfois quand je suis seule.

Quand j'ose regarder, je le vois attentif à ce que je fais et allez comprendre, je ne résiste pas ; le plaisir me prend d'un seul coup et me projette dans une euphorie qui n'a pas de nom. Je projette mon bassin et au moment où je m'y attends le moins, sa bouche s'empare de mon sexe et m'accompagne dans ma jouissance, se régalant de la liqueur qui s'échappe de moi en abondance. Me voilà devenue femme-fontaine ; je vais lui en mettre bien plus que la dernière fois. Quand je me calme, c'est pour m'écrouler complètement anéantie. Ce n'est pas possible, il va me faire mourir : mourir de plaisir, comme chante Sardou, je ne savais pas que ça existait et je suis près d'y parvenir.

Je ne sais pas comment il a fait mais, quand je réalise, il est trop tard. Il s'est placé entre mes cuisses, il a dirigé sa queue à l'entrée de mon vagin et il s'est enfoncé en moi : c'est fait, c'est arrivé, un autre homme que mon mari est en train de me faire l'amour, de me posséder, je ne pensais pas que ça arriverait aussi vite avec Alexandre. J'aurais voulu me laisser un peu de temps pour réfléchir si je franchirais ce dernier pas de l'adultère. Mes parois si humides et le fait que son sexe soit légèrement moins gros que celui de mon mari lui ont permis de rentrer en moi aussi facilement. Je me sens remplie dès que nos pubis entrent en contact et j'apprécie sa présence au plus profond de moi. Dans un premier temps, il ne bouge pas, savourant certainement sa victoire :

– Comme tu es bonne, me murmure-t-il. Tes parois sont si douces !

– Tu aurais pu mettre un préservatif ! Tu exagères !

– Rien à craindre, je suis clean ! Si tu veux je me retirerai quand je serai sur le point d'éjaculer.

– Pas la peine, comme si tu ne savais pas que je ne peux pas avoir d'enfant !

– Tu ne veux pas que je continue ?

– Oh que si ! Je veux que tu continues et tâche de te montrer à la hauteur ! Gérard m'a habituée à de bonnes baises quand il était plus jeune !

Ce que je ressens n'a rien à voir avec ce que j'ai ressenti jusqu'alors ; il a une façon particulière de faire l'amour : après quelques allers-retours entre mes parois, il s'arrête profondément enfoncer, me caresse les seins, les embrasse, me mordillant les tétons. Ces actions combinées avec sa bite qui me remplit me font crier de plaisir. Je me tortille sous lui pour qu'il reprenne ses mouvements, J'ai besoin d'être baisée, je le lui dis ; il reprend plus fort, et après quelques coups à nouveau il s'arrête mais il reste hors de mon sexe alors que je l'attendais : il dirige son sexe de sa main pour titiller mon clitoris, passer la tête le long de ma fente, plusieurs fois puis enfin retrouver le chemin où j'aime tant qu'il vienne, épousant mes parois et déclenchant en moi des vagues de plaisirs. Combien de fois ai-je joui ? Je n'en sais rien : il répète ses actions tantôt sur mes seins tantôt sur mon clitoris, revenant à chaque fois pour me marteler de plus en plus fort. J'en arrive à espérer qu'il jouisse enfin et que je puisse me reposer. Mon cœur bat la chamade ; je ne pense pas avoir jamais vécu une telle baise.

– Je suis crevée ! Arrête-toi ! je lui crie.

– Allons, ma Rose ! Encore un petit peu ! Où veux-tu que je jouisse ? Dans ta chatte ? Sur ta chatte ? Sur tes seins ? Dans ta bouche ?

– Jouis dans ma chatte ! Inonde-moi de ton foutre ! J'ai envie de sentir tes jets brulants me remplir !

Quelques coups puissants encore et je suis récompensée : il projette en moi de fortes giclées de sperme qui me font éprouver un nouvel orgasme.

Je pense m'être évanouie. Quand j'ouvre les yeux, il me regarde, pas du tout intrigué.

– Eh bien, Rose ! Je n'aurais jamais cru que tu étais si chaude quand j'avais 15 ans ! Si j'avais su, je crois que j'aurais essayé de te séduire au lieu de me branler dans mon lit en pensant à toi.

– C'était il y a dix ans, Alexandre. Tu étais trop jeune et Gérard assurait bien du point de vue sexuel.

– Je crois que je vais passer un agréable séjour chez vous durant cette année scolaire. On a beaucoup à découvrir ensemble si tu sais te montrer inventive.

– Oui, et pour commencer, j'irai te réveiller demain quand Gérard sera parti !

Quand je retrouve mon lit, je suis heureuse. Deux hommes dans ma maison qui vont pouvoir me satisfaire. Je retrouve une nouvelle jeunesse. Peut-être réussirai-je à les réunir pour que nous puissions vivre un trouple parfait !

FIN.

Soirée Compromise

"Soirée Compromise : La Colère et l'Espoir d'une Femme Face à l'Invitation Accidentelle de son Beau-Frère"

Sa soirée prévue avec son mari est compromise car il est retenu par son patron, et pour empirer les choses, il invite accidentellement son jeune frère. Furieuse et déçue, elle se demande si son beau-frère va gâcher sa soirée ou s'il y aura une possibilité de passer une agréable soirée.

Chapitre 1

Mais qu'est-ce qui lui a pris ? Lui, c'est mon mari, Alban, 10 ans de mariage bientôt ! On avait prévu de sortir ce soir, pas pour fêter quoi que ce soit, non simplement en amoureux. Nous n'avons pas encore d'enfant, nous pouvons donc en profiter sans dépendre de qui que ce soit et rendre des comptes à des parents omniprésents ! Je m'étais préparée durant l'après-midi : un bon bain relaxant, des sous-vêtements affriolants qui ne devaient pas laisser de marbre mon cher et tendre quand nous reviendrions chez nous après notre virée en boîte. Quant aux vêtements qui sont prêts sur le lit, de quoi faire se retourner les hommes tant ils mettent en valeur mes jolies formes. Il ne restait plus qu'à m'habiller et à me pomponner quand le téléphone avait sonné. C'était lui, il m'annonçait qu'il ne rentrerait pas de sitôt, retenu par son patron et, comble de la connerie à mon avis, qu'il avait invité son frère à sortir avec nous ; celui-ci ne tarderait certainement pas à arriver puisqu'il viendra souper avec nous avant d'aller en boîte.

Kevin, son jeune frère, 20 ans, je crois, que nous avons rencontré il y a quelques jours, le soir du 14 juillet avant le feu d'artifice. Un beau petit jeune que j'ai vu grandir sans me rendre compte qu'il ressemblait de plus en plus à Alban avec 10 ans de moins. Il était en compagnie d'une jeune femme un peu plus âgée que lui et qui semblait mariée vu l'alliance qui ornait son annulaire gauche. Il a semblé gêné de nous rencontrer et il nous a fourni une explication un peu vaseuse : il lui tenait compagnie pendant que le mari, qui faisait partie de la fanfare, défilait pour accompagner la retraite aux flambeaux. En tous les cas, vu l'attitude où nous les avions surpris dans la demi-pénombre, tendrement enlacés, je crois bien qu'il faisait mieux que lui tenir compagnie.

Quant à Alban, ce n'est pas la première fois qu'il me joue ce tour de pendard ! Je ne compte pas le nombre de fois où son patron l'a retenu alors que nous avions invité l'une ou l'autre de mes deux sœurs. Je lui en avais fait le reproche même si je n'étais pas trop mécontente de pouvoir échanger avec mes sœurs sur des sujets sur lesquels elles n'étaient pas très à l'aise de parler devant lui, surtout Caroline qui accumulait les peines de cœur.

Aujourd'hui, ce n'est pas la même chanson. Kevin, je le connais à peine. Il avait une dizaine d'années quand nous nous sommes mariés et moi, je ne le voyais que comme un gamin. Ce gamin, je vais devoir lui tenir compagnie en attendant qu'Alban revienne. Qu'est-ce qu'on va bien pouvoir se raconter ? Je me décide à finir de m'habiller, je ne vais rien changer à ma tenue sexy que j'ai préparée, même si je me dis que si j'avais su qu'il allait nous accompagner, ce n'est ce que j'aurais choisi. Dans ma tête, je reste assez prude quand il s'agit de m'afficher dans la famille ; rien à voir avec la femme qui aime qu'on la regarde alors qu'elle danse ou flirte avec son mari, qui aime se déplacer et sentir les regards des hommes qui, pour certains, ne se gênent pas pour me faire comprendre que je suis à leur goût.

Dans la chambre, après avoir retiré ma sortie de bain, j'ouvre la penderie et je me regarde dans la glace : j'aime mon corps, j'aime que mon mari me regarde quand je me déshabille devant lui pour l'aguicher ; il n'est pas là, mais je l'imagine, je tourne sur moi-même, mon tanga ne couvre rien de mes fesses, il cache simplement mon sexe et mon bas-ventre, je me demande si je vais garder mon soutien-gorge ; mes petits seins pas plus gros que deux belles pommes n'en ont pas besoin, il me permet simplement de pas trahir mes envies quand mes pointes tendent le tissu de mon chemisier. Je décide de le retirer ; Alban n'aime pas que je sorte ainsi, alors je vais simplement avoir ma petite vengeance. Tant pis s'il fait la gueule quand il verra mon désir éclore aux yeux de tous, ne serait-ce que parce qu'il m'aurait mise en émoi lors d'une danse.

Je passe mes vêtements, une jupe assez courte aux couleurs de l'été, un chemisier blanc un peu étroit dont le tissu épouse mes seins une fois les pans rentrés dans la ceinture. Pas mal pour une trentenaire ! Passage dans la salle de bain pour un maquillage léger, je n'ai pas d'imperfections à cacher, seulement donner à mon visage un peu de couleurs sur des tons pastel. Il ne me reste plus qu'à attendre l'arrivée de mon beau-frère qui ne devrait plus tarder : Alban lui a dit de venir pour 19 heures. Quant au repas, il a commandé un couscous chez le traiteur et il le rapportera quand il rentrera. Espérons qu'il n'oubliera pas ! Je dresse la table dans la salle à manger pour faire honneur à Kevin, car lorsque nous ne sommes que deux nous prenons nos repas dans la cuisine, quoiqu'aujourd'hui, j'aurais peut-être fait exception pour nous mettre un peu dans l'ambiance de fête. Tout est prêt, je m'installe dans le fauteuil devant la télé, ma place habituelle. Pourtant j'ai envie de calme, plus pour calmer ma colère contre Alban qu'autre chose.

9 heures, on sonne à la porte. C'est Kevin ! La ponctualité, ça me change de mon mari qui dit une heure et qui arrive toujours en retard. Il m'embrasse comme il en a l'habitude :

– Alban n'est pas encore rentré, son patron le retient aujourd'hui !

– Ce n'est pas grave ! J'ai l'habitude. C'était le désespoir de maman, il ne savait jamais être à l'heure. Il suffisait que l'on invite quelqu'un pour qu'il soit retenu d'une façon ou d'une autre. Ça doit être dans ses gènes !

– En tout cas, ça ne semble pas être dans les tiens ! Juste à l'heure !

– Eh oui ! On se ressemble physiquement mais ça s'arrête là !

– Rentre et mets-toi à l'aise ! Tu veux peut-être prendre l'apéro en l'attendant.

Il retire sa veste qu'il pend au porte-manteau de l'entrée et nous dirigeons vers le salon : je l'invite à s » asseoir face à moi sur le canapé ; je reprends place dans mon fauteuil. Il n'a pas voulu d'apéro, disant que l'on pouvait attendre qu'Alban arrive. Je ne suis pas très à l'aise, c'est la première fois que je me retrouve seule avec un membre de sa famille ; lui semble détendu, il engage la conversation sur des sujets divers qui me détendent peu à peu. Nous parlons de tout et de rien, jusqu'à ce que je lui propose une nouvelle fois de prendre l'apéro : l'attente du retour d'Alban me pèse et j'ai envie de bouger.

– Allez ! Pourquoi pas ? Ça le fera peut-être venir !

– Tu y crois ?

– Non ! Mais c'est ce que l'on dit ! Je prendrais bien un verre de martini si tu en as !

– J'ai ! Je vais prendre comme toi ! Un glaçon

– Et une tranche de citron !

– Tu sembles t'y connaître !

– Oui, j'aime bien. Tu veux que je t'aide ?

– Non, ça va ! J'arrive ! J'ai glaçons et citron.

Je me lève et, sans y prendre garde, j'écarte légèrement les jambes dans mon mouvement. Son regard n'a rien loupé, je rougis à l'idée qu'il ait pu voir :

– Tu en as pris plein la vue ! Excuse-moi !

– Pourquoi t'excuser ? C'était très beau !

– Là aussi ! Tu sembles t'y connaître !

– Pas vraiment ! me dit-il avec un petit sourire presque timide.

Je ne relève pas, je prépare notre apéro dans la cuisine et je reviens poser nos verres sur la table du salon. L'incident m'a un peu émoustillée et j'ai envie d'en savoir plus sur sa soirée avec la belle. Nous trinquons et je lui dis :

– A ta santé et à tes amours !

– Pas de problème pour ma santé ! Quant à mes amours, il va falloir boire beaucoup pour que ça s'améliore !

– Pourtant tu avais l'air de ne pas t'ennuyer avec la jeune femme quand nous t'avons rencontré.

– Oui, c'était bien parti ! Mais on est venu la chercher parce que son cocu de mari était complètement saoul et que la seule solution, c'était de le ramener à la maison ! Je lui ai proposé de l'aider, mais elle n'a pas voulu.

– Pourquoi dis-tu son cocu de mari, alors que tu ne l'as pas trompé ?

– Parce que je n'aurais pas été le premier à profiter d'elle. On le sait tous ! Il vaut mieux avoir des préservatifs si tu as la chance qu'elle te choisisse !

– Ce serait plus simple si tu te rapprochais de jeunes filles de ton âge.

– C'est ce que tu crois. Les filles de mon âge sont comme moi, elles ne sont pas encore majeures et elles ont peur d'être enceintes ! Rares sont celles qui osent demander à leurs parents de pouvoir se faire prescrire la pilule et généralement c'est parce qu'elles ont un copain sérieux agréé par la famille. ! Donc, le plus souvent on doit se contenter de caresses plus ou moins poussées sans pouvoir vraiment conclure, comme on dit dans les bronzés ! Avoue que les femmes mûres mariées, c'est quand même tentant !

– Et tu trouves ?

– Ça m'est arrivé ! Mais la majeure partie d'entre elles sont plus sérieuses que ce que l'on pense ! Elles acceptent de flirter en dansant mais elles retournent vite dans les bras de leur mari.

Cette discussion où mon beau-frère se livre aussi simplement me trouble. Nous avons fini notre martini et j'avoue que l'alcool me fait toujours l'effet d'un aphrodisiaque. Je sens des papillons dans mon ventre mais surtout je sais bien que mes tétons ont pris de l'ampleur et qu'ils poussent le tissu.

Kevin s'en est-il aperçu ? En tout cas, je sens son regard qui s'attarde sur ma poitrine puis qui descend de plus en plus souvent sur mes cuisses exposées à son regard. Je veux faire diversion :

– Tu reprendrais un autre martini ?

– Oui, pourquoi pas ? Celui-là fera peut-être venir Alban !

– Rien ne presse !

Pourquoi ai-je dit ça ? Moi je le sais. Je me lève et consciemment, j'écarte les jambes pour m'offrir à son regard. Il n'en a pas perdu une miette, me semble-t-il et quand je reviens je m'aperçois que son sexe forme une bosse plus importante qu'auparavant. Ne serais-je pas la seule à avoir des petits soucis de libido.

Je me rassieds, je laisse ma jupe remonter et écarte un peu les jambes.

– Et alors, qu'est-ce que tu as fait quand tu t'es retrouve seul ? Ne me dis pas que tu n'es pas reparti en chasse !

– Tu es bien curieuse, ma belle-sœur ! Pire que ma mère !

– Mais je ne suis pas ta mère. A moi tu peux tout me dire !

Nous buvons une gorgée de l'apéro, j'ai la tête qui tourne un peu, mais surtout je sens que le tissu de mon tanga commence à se mouiller. J'ai envie qu'il me raconte.

– Alors tu n'es pas rentré chez toi comme ça, alors que tu étais bien chaud ?

– Non, j'ai retrouvé les copains et nous sommes allés au bal qui avait lieu sur la place. J'ai invité une fille que je ne connaissais pas et nous avons un peu flirté. Elle m'a laissé lui caresser les seins pendant que nous dansions, mais quand j'ai voulu qu'on aille dans un endroit isolé, elle a refusé ! Tu vois, j'ai fini par rentrer insatisfait !

– Pauvre chou ! Et ça fait combien de temps que tu ne t'es pas envoyé en l'air ?

– Là tu deviens vraiment trop curieuse !

– Je m'inquiète pour toi. C'est tout !

En réalité je ne m'inquiète pas du tout. Je vois bien qu'à se raconter tout en regardant tantôt mes tétons dressés derrière le tissu tantôt mes cuisses que j'ai ouvertes plus que la décence le permet, un beau morceau se dessine maintenant sous le pantalon au niveau de la braguette. Ça me fait chaud il se décide à me répondre après avoir repris une gorgée, comme pour se donner du courage :

– Au moins 15 jours ! Mais dis-moi, je peux te poser une question à mon tour ?

– Oui, vas-y !

– Ça t'arrive souvent de montrer ta culotte en discutant ?

– Non, c'est réservé à Alban normalement. Mais je ne sais pas si tu as remarqué, aujourd'hui il me délaisse. Donc c'est toi qui en profites ! Tu n'aimes pas ? Penses-tu que c'est toujours aussi beau ?

– Bien plus beau ! Tout à l'heure, je n'ai fait qu'apercevoir. Maintenant, je peux admirer ta culotte et imaginer ce qu'elle cache car elle épouse tes lèvres à souhait.

– Moi aussi, j'ai devant les yeux un morceau qui semble bien vivant dans ton pantalon, lui dis-je en me levant et venant m'asseoir devant lui sur la table basse du salon.

J'ai tôt fait de poser ma main sur ce bâton déjà bien rigide et qui grandit encore sous l'effet de la caresse.

– Alban va arriver, me souffle-t-il.

– On entendra sa voiture, les graviers font un bruit du boucan, ne t'inquiète pas ! On aura vite fait de retrouver nos places !

Je descends la fermeture éclair et je sors ce qui est l'objet de mes désirs, une belle queue bien dressée, un peu moins grosse que celle de son frère mais que j'ai envie d'embrasser. Quelques petits baisers sur le bout que j'ai libéré, un beau gland gorgé de sang, ma langue qui s'insinue sur le méat où perle une goutte annonciatrice du sperme que j'ai envie de déguster, je fais tourner ma langue autour de son extrémité puis j'ouvre la bouche pour la sucer lentement, d'une main je caresse le reste de la tige, de l'autre je masse ses couilles. C'est délicieux, cette chair douce et dure à la fois que je sens palpiter sur ma langue.

– Qu'en penses-tu ?

– C'est vachement bon ! Personne ne m'a jamais fait ça.

– Tu veux que je m'arrête.

– Non continue ! Avant qu'Alban n'arrive !

– Tu pourras venir dans ma bouche ! J'adore ça ! Je me doute que tu ne vas pas résister longtemps, vu la quinzaine d'abstinence que tu viens de passer, laisse-toi aller !

– Arrête de parler ! Fais-moi jouir avant qu'il n'arrive !

Heureusement il n'ajoute pas « le cocu ». Je ne résiste pas à lui donner satisfaction, Alban va bientôt arriver, il est plus de 20 heures ! Je le reprends en bouche, J'ai envie qu'il baise ma bouche, je le lui dis, il semble hésiter puis me saisit la tête et la maintient tandis qu'il va et vient. Comme j'aime ça ! Comme j'aime sa queue. Je l'entends gémir, me supplier de continuer, comme si j'avais besoin qu'il me le dise, Je le sens grossir, il va bientôt éjaculer, Je le laisse se mener à l'éjaculation et soudain il se fige Je l'attends, il va se déverser dans ma bouche. Ça y est : première libation de sperme chaud, j'avale, continuant à la sucer, à traire cette queue jusqu'à la dernière goutte de sperme. J'adore le goût de son sperme, un peu plus doux que celui de mon mari. Le voilà apaisé, épuisé, devrais-je plutôt dire. Je continue à sucer ce sexe à qui je viens de donner du plaisir.

Il s'effondre sur le canapé, alors je ne résiste pas, je me laisse couler sur son corps et je l'embrasse lui faisant goûter sa propre semence. Il répond à mon baiser, je sens sa main qui remonte le long de ma cuisse quand j'entends la voiture d'Alban qui rentre dans l'allée, Mon mari sera là dans une minute. Vite je reprends ma place, Kevin remonte sa braguette, Je bois une gorgée de martini pour atténuer le goût pourtant plaisant du sperme de mon beau-frère, mais il ne faudrait pas qu'Alban en sente l'odeur s'il lui prenait la fantaisie de venir m'embrasser. Mais il n'en fait rien, il va dans la cuisine déposer le couscous.

– C'est bien, vous avez commencé sans moi ! J'en ai encore pour une heure environ : une vidéo conférence à laquelle je ne peux échapper. Je vais dans mon bureau. Annie, tu prépareras pour réchauffer le couscous !

– C'est toujours comme ça ? me demande Kevin dès qu'on entend la porte du bureau se fermer.

– Quand son patron lui met la pression, oui ! Viens dans la cuisine, on va préparer pour qu'il n'y ait plus qu'à réchauffer et, peut-être, continuer à se faire du bien si tu es d'accord.

– Bien sûr que je suis d'accord, me dit-il en passant sa main sous ma jupe et en palpant mes fesses nues.

– Mais tu n'as pas de culotte !

– Mais si idiot ! C'est un tanga, bien couverte sur le devant mais bien découverte' sur le derrière ; c'est drôlement agréable de se faire caresser le cul presque nu tout en dansant. Je vois que tu encore beaucoup à apprendre et, si tu veux, je vais t'aider à parfaire ton éducation.

Chapitre 2

J'ai vite fait de placer les ingrédients dans différents plats pour pouvoir les réchauffer soit au micro-onde soit sur le gaz. Kevin s'est chargé de rapporter les verres, nous allons nous servir un nouvel apéro. Je vais finir par être pompette mais j'ai envie de m'éclater, de ne pas réfléchir à ce que je fais. Tromper mon mari ne m'était jamais venu à l'esprit ; le martini et la conversation m'ont apporté ce qui me manquait et maintenant que j'ai accordé une fellation à mon beau-frère, j'ai envie de sa belle bite dans mon con, surtout qu'il entretien mon désir en attendant que j'aie fini la préparation du repas et surtout que son frère se soit enfermé dans son bureau et qu'on ait entendu les pieds de sa chaise indiquant qu'il est assis devant son ordinateur. Je réalise que le fait que le bureau se situe juste au-dessus de la cuisine va nous avantager : on entendra quand il aura fini et qu'il sera sur le point de redescendre. Il sera temps de reprendre une attitude correcte vis-à-vis de lui.

Kevin, sous prétexte de m'aider, n'a pas cessé de me caresser. Ses mains passent souvent sous ma jupe pour palper mes fesses qu'il sait nues. Je peux enfin répondre à la fougue de ce jeune homme trop impatient. Je le prends dans mes bras et je me colle à lui : je commence à l'embrasser, écartant ses lèvres avec ma langue, sondant l'intérieur de sa bouche, j'ai besoin de le goûter, son odeur enivrante, ses lèvres douces, sa langue lisse ; je suis en train de perdre les pédales, tout ce qui compte pour moi, c'est son plaisir, le plaisir que je sais que je lui donne à embrasser une femme comme il en rêvait.

Je le pousse à s'asseoir sur une chaise, soulève ma jupe et m'assieds sur lui ; Je me frotte contre sa virilité même si des barrières de tissu nous séparent contre moi et cela m'excite. Il fait courir ses mains sur mon dos, puis se saisit de mes hanches. Il dirige mes mouvements contre sa virilité. Moi, je me penche en arrière pour m'observer en train de me frotter contre lui. Ses mains ont ouvert mon chemisier et caressent doucement mes seins, comme s'il ne croyait pas à son bonheur. Il me tire en avant pour me lécher et me sucer. Je le regarde aspirer mon mamelon, puis l'autre. Ses mains sont reparties à l'assaut de mes fesses. Je halète du plaisir qu'il me procure tant par ses mains que par sa bouche. Je deviens folle. Je me lève :

– Baisse ton pantalon.

Il se lève lui aussi, défait ses boutons et vêtement et sous-vêtement échouent à ses chevilles. Je le pousse pour qu'il se rassoie, et je tombe à genoux entre ses jambes, je caresse sa queue qui n'est pas assez dure à mon goût, je la veux plus ferme, plus rigide, je me penche pour lécher le bout :

– J'aime ce que tu me fais ! Tu suces si bien ! Mais j'ai envie d'autre chose. On pourrait retourner dans le salon !

– Pourquoi veux-tu retourner dans le salon ? On est très bien ici !

– Parce que j'ai envie de te faire l'amour.

– C'est moi qui vais te faire l'amour. Reste assis !

Je me prépare à reprendre ma position mais avant je remonte ma jupe et la coince dans ma ceinture. J'écarte le tanga qui couvre mon sexe et il découvre pour la première fois ma vulve exposée à son regard émerveillé. Mes lèvres luisent de mes secrétions, elles sont gonflées de désir, je me saisis de sa queue et je me masturbe avec le bout que je fais passer de mes lèvres à mon clitoris.

– Continue, c'est trop bon !

– Tu n'as jamais fait ça à une de tes copines ?

– Non.

– Je suis sûre qu'elles aimeraient ! Vas-y, fais-le moi !

Il prend le relai. Les mouvements ne sont pas très assurés et je le guide. Oui, j'aime ça ! Si nous en avions le temps, je lui aurais montré comment j'aime être doigtée avant l'acte lui-même mais le temps risque de nous manquer si la vidéo conférence d'Alban était plus courte que prévu. Je précipite un peu les choses, je reprends son sexe et le présente à mon entrée et je descends doucement pour m'empaler. Il me remplit complètement, je reste immobile savourant ce moment. Nos yeux sont rivés l'un à l'autres, il me sourit, je l'embrasse sur les lèvres, je me livre à lui ; c'est la première fois que je trompe mon mari et il faut que ce soit avec son frère, presque copie conforme de celui qui m'a épousée il y a dix ans.

– Comme tu es bonne, me dit-il. Aucune femme ne m'a jamais fait ça.

– Peut-être parce que tu n'as jamais été avec une vraie femme.

– Mon vœu est exaucé. Si j'avais su, je serais venu te voir plus tôt.

– Il n'est pas sûr que ça aurait marché ! Alban aurait peut-être mieux assuré que ce soir. Mais carpe diem !

Je contracte mon vagin sur sa queue puis je me mets à aller et venir sur cette bite qui me remplit si bien. Je gémis, des picotements parcourent tout mon corps, je m'échauffe peu à peu à mesure que je mes mouvements se font plus amples, plus rapides ; il réussit à m'accompagner enfin, il trouve le rythme, il apprend vite et nous évoluons à l'unisson. J'ai trouvé la bonne position pour que mon point G soit sollicité. ; Ça grandit en moi, c'est un véritable crescendo que je n'ai atteint avec Alban que trop rarement, l'attrait de la nouveauté, savoir que c'est son frère qui me baise pendant que lui passe son temps avec son patron. C'est une cavalcade que je fais subir à mon partenaire, c'est lui ma monture qui s'adapte à mon rythme effréné. Ses mains tirent sur mes seins à me faire mal, sa bouche suce mes mamelons comme s'il voulait les avaler. Je ne suis plus moi-même.

Je crie son nom :

– Kevin ! Tu me baises bien !

– C'est toi qui me baises ! J'aime ta chatte !

– Et moi, j'aime ta bite ! Elle me fait un bien fou ! Je vais jouir ! Je jouis !

Tout mon corps frissonne, les lèvres de ma chatte se contracte autour de sa queue enfouie entre mes parois tout au fond de moi. Je perds la raison, je ne suis que jouissance ! Je perds toute notion pendant quelques secondes. Sa queue commence à vibrer et je sens son sperme jaillir au fond de mes entrailles. Qu'est-ce que ça fait du bien, cette source chaude qui me remplit puis qui s'écoule de mon vagin sur sa queue demi rigide et sur ses couilles. Heureusement que son pantalon est sur ses chevilles !

Il m'embrasse.

– Merci, ma belle-sœur ! Qu'est-ce que j'ai aimé que tu me baises ! Je n'ai jamais éprouvé un tel plaisir.

– Tu as bien assuré ! Moi aussi j'aimé ce que nous avons fait. Mais promets-moi que ça restera entre nous.

– Bien sûr que je ne vais pas aller me vanter que j'ai baisé avec toi. Mais dis-moi, si je suis en manque, je pourrai venir te voir ?

– Arrange-toi pour qu'Alban ne soit pas là.

Nous entendons du bruit à l'étage. Vite, je me lève et réajuste mes vêtements. J'attrape un torchon pour sécher mes cuisses et le sexe de Kevin.

– Il faudra que je le mette au linge sale pour ne pas essuyer la vaisselle avec, dis-je en riant pendant que Kevin remonte son pantalon. Nous attrapons tous deux le fou rire qui se prolonge quand Alban nous rejoint.

– Qu'est-ce qui vous fait rire comme ça ?

– Ça doit être le martini, lui dis-je en continuant à rire. Tu sais que tu pourras inviter ton frère plus souvent, il est vraiment d'agréable compagnie !

FIN.

Infidélité Temporaire

"Infidélité Temporaire : Une Nuit de Tentation Avec l'Épouse d'un Ami Ivre"

L'ami du narrateur est ivre et incapable de rentrer chez lui seul, alors il l'aide en le raccompagnant à son domicile. Là, il est tenté par la femme de son ami et finit par avoir une aventure avec elle.

Je venais d'avoir 24 ans quand j'ai fait la connaissance de Ronald dans l'entreprise où je venais d'être engagé. Nous avons sympathisé et parfois, à la sortie du boulot, il nous arrivait d'aller prendre un verre au café du village.

Ronald est un petit rigolo, toujours une blague à raconter et comme je ne suis pas le dernier moi aussi à raconter des histoires, nous avons bien du plaisir à amuser la galerie. Il est marié à Josiane, trentenaire comme lui, qu'il a connue lors d'un bal de ducasse, un peu de frotti frotta et ils se sont mariés à son retour du service militaire. Josiane est une belle femme qui avait connu quelques aventures avant de rencontrer Ronald, aventures qui n'avaient pas manqué de faire jaser les commères : dans un petit village, tout se sait surtout quand c'est le maire qui s'amourache d'une jeune fille dont la réputation n'était plus à faire. Ils avaient filé le parfait amour illicite pendant au moins un an au grand dam de la mairesse, épouse qui s'était vue cocufier mais qui avait fait semblant de ne rien voir. Josiane avait fini par rompre quand elle avait compris que Monsieur le Maire ne divorcerait jamais et qu'elle ne serait jamais son épouse.

Depuis, Josiane avait rencontré Ronald ; ils ont maintenant plus de dix ans de mariage et la belle Josiane ne fait plus parler d'elle. Moi, je la connais bien, Josiane. Nous étions voisins quand j'étais adolescent et qu'elle avait son aventure avec le maire. Mes amis et moi fantasmions quand nous voyions la voiture du maire dans un chemin creux. Pour ma part, je ne réussis jamais à m'approcher mais certains plus rusés ou plus vantards me racontaient ce qui se passait soit disant à l'abri des regards. Il n'en fallait pas plus pour éveiller ma jeune libido ; mais cette fille de 10 ans mon aînée ne prêtait que peu d'attention au petit jeunot que j'étais : des petits bonjours amicaux si nous nous croisions dans la rue ou si nous sortions de la maison en même temps. Parfois elle m'interrogeait sur mes études ou sur mes loisirs, mais je sentais bien que c'était l'aînée qui était polie avec son jeune voisin. Quant à mes parents, ils ne lui rendaient pas beaucoup de contes, vu la vie dissolue qu'elle menait ou avait menée. Même quand elle s'était rangée, ils m'avaient toujours mis en garde ; ce qui ne faisait que renforcer mon désir de cette belle femme.

J'habite maintenant dans la rue de mon enfance, ayant acheté une maison près de celle de mes parents pour avoir mon indépendance tout en profitant d'eux pour les lessives entre autres. Célibataire, je suis ; célibataire, je veux rester profiter de la vie et surtout des filles pas farouches que je rencontre. Ronald et Josiane habitent au bout du village, comme on dit, c'est-à-dire un lotissement qui s'est construit sur une route pavée de grés juste avant les champs.

C'est un couple modèle, sans enfant. Josiane travaille à la ville et Ronald dans la même entreprise que moi. Ils entretiennent bien leur maison, et Ronald a même un jardin dans les champs au milieu d'autres appelés jardins ouvriers. Il lui arrive même quand il a trop de légumes de les proposer à la vente.

C'est Josiane qui fait les courses et il arrive que nous échangions quelques mots pour demander des nouvelles de mes parents. Même si je la trouve encore très belle, elle n'a pas beaucoup changé depuis qu'elle s'est mariée, je n'éprouve plus vraiment d'attirance pour elle, d'abord parce que mes petites aventures variées me conviennent très bien mais ensuite et surtout parce que c'est la femme de mon pote.

Ronald n'a pas toutes les qualités. Son seul petit défaut, c'est que lorsqu'il commence à boire, il ne sait plus s'arrêter. Le soir, quand nous allons au café, c'est une bière et une seule ; Par contre quand il est de sortie, on peut s'attendre à tout et c'est exactement ce qui est en train de se produire aujourd'hui.

Pour améliorer les caisses de notre association de loisirs, nous organisons ce dimanche un tournoi de billons à l'anneau. Il s'agit de faire passer dans un anneau planté dans le sol un billon, c'est-à-dire une sorte de gourdin de 75 cm et de 2 kilos. On lance cette pièce pour qu'elle glisse et vienne pénétrer dans l'anneau. Ça se joue par équipe de deux joueurs qui affrontent deux autres joueurs, les premiers qui ont mis dix points ont gagné la partie. Notre association a changé le règlement, normalement ce sont les perdants qui paient un verre aux gagnants, nous avons inversé les rôles, estimant que les perdants sont assez malheureux d'avoir perdu. Et le pauvre Ronald ne fait que perdre ! Si cela fait du bien à son porte-monnaie, il n'en est pas de même pour sa sobriété.

Moi qui suis au service de buvette, je vois bien la tournure que prend la situation et il n'y a pas que moi : Josiane essaie de le calmer, mais Ronald, quand il est parti, il est parti et les bières s'enchaînent avec les défaites et les défaites sont de plus en plus sûres vu le manque de stabilité du bonhomme. Il pourrait boire de l'eau ou un jus de fruit, mais non ! Pour une fois qu'il s'amuse ; les gars commencent à le charrier sur son manque de réussite : il faut dire que le jeu est souvent dénommé chez nous « L'enfilette », ce mot peut facilement prendre un double sens et c'est sur ce registre que ses copains s'engouffrent :

– Eh bien, Ronald ! Si tu es aussi bon pour enfiler Josiane, elle ne doit pas rigoler tous les jours !

– Taisez-vous ! Hein Josiane, qu'ils ne savant pas de quoi ils parlent !

– Tais-toi, tu vas encore dire des bêtises !

– Dis-leur que tu n'as pas à te plaindre !

– Je ne suis pas sûre que ce soir je n'aurais pas à me plaindre ! lui lance-t-elle, énervée.

L'un des joueurs s'adresse alors à Josiane

– Tu as vu comme je les enfilais ! C'est moi qui vais gagner le tournoi ! Si tu veux ce soir, je viendrai te tenir compagnie !

– Tu t'es vu ? Avec ton gros bidon, je ne suis pas sûre que tu puisses faire grand-chose à part me tenir à distance ! De plus je me suis laissé dire que tu savais mieux te servir du gros bâton de bois que de ton petit riquiqui d'oiseau ! Ronald est mon homme et il me donne satisfaction quand il n'est pas saoul. Aujourd'hui ce sera un jour sans et je ne m'en porterai pas plus mal !

Tout le monde rit. Le responsable du tournoi voit que ça tourne vinaigre et veut que la partie continue :

– Bon, ça va ! On reprend la partie !

– Mais tu as entendu ce qu'elle m'a dit ?

– Oui, j'ai entendu ! J'ai entendu aussi ce que tu as dit et je ne pense pas que tu apprécierais si j'avais dit la même chose à ta femme. Alors laisse Josiane et Ronald tranquilles. Josiane, je pense que Ronald n'est plus apte à continuer la partie ; il ferait mieux de repartir chez vous !

– Si tu crois que ça va être si facile ! Je vais le laisser cuver un peu et nous repartirons.

Elle réussit à le faire s'asseoir sur une chaise. Pourtant quand il s'aperçoit qu'il n'y a plus personne autour d'eux :

– Où, sont les autres, dit-il d'une voix pâteuse.

– Ils sont partis jouer, lui répond Josiane. Toi, tu restes avec moi ! Tu n'es plus capable jouer !

– Comment ça, je ne suis plus capable de jouer ? Tu vas voir ça !

Disant cela, il se lève, ou plutôt il tente de se lever, J'entends Josiane crier :

– Mais quel con ! Tu n'es plus capable de tenir debout et tu as arraché mes boutons.

Je regarde le tableau et je ne suis pas déçu : le chemisier de Josiane est ouvert en grand sur sa poitrine nue, pas de soutien-gorge pour cacher ses jolis petits seins, il faut dire qu'elle n'en a pas besoin, pas de danger qu'ils s'affaissent ! Elle tente vainement de se réajuster mais le poids de mon pote sur son épaule l'en empêche, Elle a vu mon regard :

– Eh Michel ! Au lieu de me regarder, tu ne voudrais pas plutôt venir m'aider.

– Mais si j'arrive.

J'abandonne mon poste pour aller secourir la belle et surtout voir de plus près cette jolie poitrine qui s'offre à mon regard. Quand j'arrive près d'eux, elle est rouge comme une tomate. Elle est mal à l'aise mais ne dit rien même si elle voit bien que je me délecte du spectacle qu'elle m'offre involontairement.

– Allez, je vais vous aider. On ne va pas rester ici pour qu'il soit la risée de tout le monde. Venez, ma maison n'est pas loin par rapport à la vôtre, on prendra ma voiture et je le ramènerai chez vous.

Je charge mon copain comme un sac de patates, il râle bien un peu qu'il veut finir la partie, mais je lui dis de se taire et de se laisser faire. Vu le ton excédé que j'emploie, il n'insiste pas. Sur ce temps, Josiane s'est réajustée et trottine à côté de moi. Nous arrivons devant ma maison ; le portillon est fermé, le loquet est mis de l'intérieur :

– Vous voulez bien ouvrir le portillon. Il faut attraper le loquet à l'intérieur et tirer, il est un peu dur.

Josiane se penche par-dessus la barrière, et cherche à déplacer le loquet. Elle ne réalise certainement pas que dans cette position, elle m'offre un autre spectacle aussi agréable que le premier : sa jupe un peu courte est remontée et me dévoile un joli popotin qui n'est couvert que d'une mince bande de tissu.

– C'est drôlement dur, me dit-elle en se retournant.

Elle voit mon regard, et rougit à nouveau. Elle y arrive enfin, et triomphante, elle se tourne vers moi, oubliant que les pans de son chemisier sont écartés. J'en prends encore plein les mirettes et je ne me gêne pas pour montrer que j'apprécie.

– Oh, toi, alors ! s'exclame-t-elle en me fusillant du regard. Tu ne peux pas laisser tes yeux dans tes poches.

– C'est plutôt mes mains qu'il faudrait que je laisse dans mes poches si elles n'étaient pas déjà prises pour soutenir votre mari !

Nous avançons dans l'allée jusque devant la porte de maison. Il me faut mes clés, mes mains sont toujours occupées à maintenir l'animal et je ne peux le laisser tomber.

– Josiane, vous voulez bien ouvrir la porte, mais pour cela il faut prendre mes clés.

– Où sont-elles ?

– Dans la poche droite de mon pantalon.

Elle semble hésiter, puis enfonce sa main dans la poche. Elle évite soigneusement de s'approcher de mon aine, arrive au fond de ma poche et trouve l'anneau qu'elle saisit avec deux doigts. Mais qu'est-ce qu'elle fout ? Elle a lâché les clés, elle replonge sa main plus hardiment et là, ce ne sont mes clés qu'elle trouve mais mon sexe :

– Eh ! Qu'est-ce que vous faites ?

– Désolée ! Désolée ! Excuse-moi !

– Vous êtes tout excusée ! Tout le plaisir est pour moi ! Si vous voulez continuer, je suis partant, mais il faudrait d'abord déposer quelque part mon fardeau.

Elle ne répond pas, trouve enfin les clés et je la vois ouvrir la porte avec des mains tremblantes. Toute cette situation lui ferait-elle de l'effet ? Serait-elle elle aussi troublée par mes regards insistants sur ses seins à chaque fois que son chemisier s'ouvre et sur son petit cul si agréable à regarder ? Son toucher dans ma poche lui aurait-il procuré autre chose que de la gêne ? Elle me laisse passer, et je porte son mari dans le fauteuil et l'installe sur le canapé. Elle a eu le temps de remettre les pans de son chemisier.

Je vais chercher les clés de la voiture. Il va falloir le charger, l'opération est moins difficile à réaliser que l'arrivée à la maison. Nous sommes vite chez eux. Elle me guide, elle est chez elle et m'entraîne dans la chambre où je dépose mon copain sur le lit.

– On le laisse comme ça, je lui demande.

– Non, si tu veux bien me donner un dernier coup de main, on va lui passer son pyjama !

– Commencez par lui retirer son haut, ça devrait aller vous toute seule ! Je vais souffler un peu ! C'est qu'il est lourd !

Elle attrape le bas de son tee-shirt et le tire vers le haut. Ronald se laisse faire comme un bébé. Quant à moi, je suis aux anges, son chemisier s'est à nouveau ouvert, et sa position à genoux sur le lit me dévoile à nouveau ses belles fesses, je peux même entrevoir le coussinet que forme son sexe sous le tissu. Je ne suis pas disposé à venir lui prêter main forte, même si je vois qu'elle commence à peiner pour finir d'extraire la tête de mon ami. Il est trempé de sueur, elle me demande de prendre une serviette dans l'armoire derrière moi. Elle l'essuie consciencieusement, puis lui passe la veste de pyjama. C'est un poids mort qui se laisse faire.

Elle se tourne vers moi, elle ne cherche pas à réunir les pans de son chemisier, estimant certainement que ce sera inutile et qu'ils se sépareront très vite. Je le regarde, elle le sait. On dirait que ça ne la gêne plus, trouverait-elle cela excitant de me montrer ses seins et de comprendre que j'apprécie et même un peu plus. Car mon sexe qui jusqu'alors était resté au repos s'éveille doucement au désir de cette femme. Elle se penche à nouveau vers lui et lui retire le bouton de son pantalon et dézippe la fermeture éclair, elle tente de lui retirer son vêtement. Il ne prête pas au mouvement ; alors je viens l'aider : je soulève le bas de son corps pour qu'elle puisse retirer le pantalon ; le caleçon suit le même mouvement. Elle récupère le short de pyjama et s'apprête à lui passer.

– Vous ne l'essuyez pas ?

E vois bien que le bas n'a pas besoin d'être épongé ; elle me regarde puis elle se met à l'essuyer, d'abord les jambes, puis les cuisses ; de ses doigts elle attrape le pénis flasque de son mari, le soulève et continue de frotter autour de son sexe. Même inconscient, Ronald commence à durcir. Elle le repose sur son ventre et veut lui mettre le bas de son pyjama. Ronald bouge un peu, Josiane s'arrête à mi-cuisse, attendant qu'il replonge dans son sommeil d'ivrogne. Mais, il lève la main qui trouve son sein et commence à le flatter. Elle veut se soustraire à sa caresse, mais Ronald bredouille des mots inintelligibles. Vicieusement, je dis :

– Laissez-le faire ! On ne sait pas quelles seront ses réactions s'il nous découvre dans la chambre vous à moitié nue.

Elle avance le buste et Ronald palpe son mamelon, en attrape le bout et titille cette zone qui me semble érogène chez elle, vu le gémissement qui sort de sa bouche. Elle ne me regarde plus, si elle est gênée de ma présence, elle n'en dit rien. Mais sa respiration s'accélère et dans ce lieu silencieux, je reconnais bien la montée du plaisir chez cette femme. Alors je me lève et je passe derrière elle. Pense-t-elle que je vais m'en aller ? Je n'en ai nulle intention, Je pose mes mains sur ses hanches et je la force à se placer parallèlement sur le lit. Pas besoin de beaucoup pour soulever la jupe déjà bien remontée de par sa position, Je m'approche de son oreille :

– Vous êtes si belle ! J'ai envie de vous ! Je peux ?

Sa réponse se fait un peu attendre et c'est un faible oui qui sort de sa bouche. Mes doigts s'insinuent sous l'élastique de sa culotte noire et je la fais descendre doucement jusqu'à ses genoux, d'elle-même elle les soulève pour que je puisse la glisser jusque ses pieds, sa culotte est entre mes mains, je la regarde avant de la porter à mon nez :

– Qu'est-ce que vous mouillez ! Comme vous sentez bon !

J'ouvre ma braguette et descend mon pantalon jusque mes genoux. Je positionne mon dard contre son intimité, pas besoin s'humidifier les chairs, elles le sont déjà suffisamment. Une seule poussée et je suis en elle, m'enfonçant doucement dans ses chairs jusqu'à ce que mes bourses rencontrent son cul. Ronald est toujours en train de palper ses seins. Je m'approche à nouveau de son oreille :

– Vas-y ! Embrasse-le. Roule-lui une pelle !

Je n'en reviens pas, elle m'obéit. Je me retire d'elle tandis qu'elle se positionne pour embrasser son mari. Moi, je la pénètre à nouveau. Je vais bien au fond de son antre. Elle gémit tout en continuant à l'embrasser, tandis que je lui assène de grands coups de rein.

– Et si vous lui tailliez une pipe ?

– Tu es fou ! Il va se réveiller !

– On s'en fout, demain il ne se souviendra de rien. Allez, taillez-lui une pipe pendant que je vous baise !

Elle bouge pour se positionner, je reste fiché en elle, Elle découvre alors que son homme a une belle érection qu'elle prend en bouche immédiatement, comme si elle n'attendait que cela pour satisfaire son envie. Moi, je la pilonne de plus en plus fort et je vois qu'elle adapte sa fellation aux coups que je lui donne. Et tout à coup, je vois que Ronald a ouvert les yeux : qu'est-ce qui se passe dans son esprit en voyant sa femme à quatre pattes les seins à l'air lui faisant une pipe pendant qu'elle se fait baiser par la queue de son copain ? Va-t-il prendre conscience de cette réalité ?

Josiane ne se démonte pas :

– Quel beau rêve tu fais là, mon cochon !

Et elle se remet à l'ouvrage avec encore plus de cœur. Et ça marche, Ronald ferme les yeux comme pour goûter au plaisir qu'elle lui donne et se rendort tout simplement. Moi aussi je passe la vitesse supérieure, Je la propulse en avant à chacun de mes assauts, le lit tremble. Ronald gémit tandis que je pousse des grognements de satisfaction à entrer et sortir de cette chatte si chaude. Elle jouit et moi aussi, je me déverse en elle. Il faut peu de temps pour qu'elle réagisse, elle se tourne vers moi et approche sa bouche de la mienne. Je suis heureux, nous allons échanger un baiser d'amour après avoir bien joui. Je n'ai pas plus tôt ouvert la bouche pour échanger ce baiser, que je sens un liquide visqueux envahir ma bouche. Je veux m'éloigner mais elle me tient bien la tête et je ne peux faire autrement que de revoir le sperme de mon copain qu'elle avait gardé en bouche. Elle reste collée à ma bouche jusqu'à ce que j'aie avalé :

– Mais c'est dégueulasse ! lui dis-je en colère quand elle me laisse libre.

– Mais oui, c'est dégueulasse ! Pas plus que de venir baiser la femme de son meilleur pote et de lui demander de faire une pipe à un mari complètement saoul ! Je ne veux pas que tu puisses te vanter de m'avoir baisée. Je ne veux pas que Ronald apprenne ce qui s'est passé.

– Si tu crois que j'ai envie de lui dire que j'ai pris mon pied ce soir comme ça ne m'était pas arrivé depuis longtemps. Je crois que vous avez aimé, vous aussi !

– Là n'est pas la question. Personne ne doit savoir ce moment d'égarement de ma part et si tu me trahissais, je te tournerais en ridicule en disant que je t'ai fait boire le sperme de Ronald.

– Pas besoin de cette menace ! En plus, à bien réfléchir, c'est peut-être dégueulasse, mais qu'est-ce que c'est jouissif ! Je ne dirai rien. Quand remet-on ça ?

– Jamais ! Je tiens à mon homme et je ne vais pas mettre mon mariage en péril pour une histoire de cul ! Surtout que Ronald me donne satisfaction plus que tu ne penses !

Il ne me reste plus qu'à partir.

Ronald n'est pas venu travailler le lendemain et quand il revient, il fait une drôle de tête :

– Pas encore remis ?

– Si ! Mais je n'arrête pas de penser à un rêve que j'ai fait. Complètement dingue ! Josiane n'arrête pas de me dire que je ne devrais pas boire autant, c'est vrai ! Mais n'empêche que c'est la première fois que ça m'arrive !

– Qu'est-ce qui t'arrive ?

– Tu ne vas pas te moquer de moi ?

– Bien sûr que non !

– Figure-toi que j'étais allongé sur le lit, Josiane me taillait une plume comme elle ne l'avait jamais fait et pendant ce temps... Non, c'est trop con !

– Accouche !

– Ben, toi tu la besognais par derrière ! Et vu le cœur qu'elle mettait à me sucer, elle y prenait beaucoup de plaisir.

Même si je n'en ramène pas large, j'éclate de rire.

– C'est vrai que ton rêve est complètement con !

– C'est ce que me dit Josiane aussi ! Et comme je n'arrête pas de lui en parler, tu sais ce qu'elle m'a dit ?

Je m'attends au pire.

– Non

– Que si je voulais, ça pouvait devenir une réalité !

– Ah oui ? Elle t'a dit ça ?

– Oui, Et...

Il hésite puis il se lance :

– Je me demande si tu accepterais de venir un de ces soirs à la maison. J'ai tellement joui dans mon rêve que j'ai envie de vivre cela.

Bien sûr que je n'ai pas refusé !

FIN.

Also by ISAIAH MAYS

Inconnus Intimes
Nuit De Noces Torride

Milton Keynes UK
Ingram Content Group UK Ltd.
UKHW010849280324
440101UK00001B/107